D0717525
076 - 522 81 51
publiciteit@degeus.nl

De rijkste vrouw van Yorkshire

Fouad Laroui

De rijkste vrouw van Yorkshire

Uit het Frans vertaald door
Frans van Woerden

DE GEUS

De vertaler ontving voor deze vertaling een werkbeurs van
de Stichting Fonds voor de Letteren

Oorspronkelijke titel *La femme la plus riche du Yorkshire*, verschenen
bij Éditions Julliard

Omslagontwerp Stef van Zimmeren | Riesenkind

Druk Thieme Boekentuin, Apeldoorn
ISBN 978 90 445 1367 7
NUR 302

De rijkste vrouw van Yorkshire

I

Op een dag, in een pub ...

'Ik ben de rijkste vrouw van Yorkshire', prevelt ze.

En ze blaast hem een wolkje sigarettenrook in zijn gezicht. Adam verstijft ter plekke. Hij heeft een hekel aan wolkjes sigarettenrook in zijn gezicht. Hij draagt contactlenzen, zijn ogen beginnen meteen te prikken, erg irritant. Hij heeft direct een bloedhekel aan haar, aan die Engelse daar op dat bankje in die pub, ze heeft iets typisch in haar blik, iets wat je ook weleens in de ogen van sommige roofdieren ziet. Maar hij zegt niks, hij wacht af. Kan best nog eens van pas komen, zegt hij bij zichzelf, die hartgrondige hekel die ze zojuist bij hem naar binnen heeft geblazen, tegelijk met dat nicotine- en teerwolkje dat hem een droog gevoel aan zijn ogen geeft. Maar nu gaat hij zich heel zacht en meegaand voordoen, op het onnozele af, om de vijand te misleiden. De vijandin in dit geval ... Laat ze maar praten ... Laat ze er maar op los kletsen ... Laat ze maar lekker haar gang gaan.

wat Adam daar deed

Adam Serghini was naar de Blue Bell gegaan ter bestudering van de autochtonen. Het Yorkse VVV beveelt deze 'authentieke' pub warm aan in zijn brochures, hier is al duizend jaar niets veranderd, sinds Willem de Veroveraar voet aan wal in Engeland zette is hier alles exact hetzelfde gebleven. Er wordt daar stevig bier gehesen en er wordt gesproken over de directe actualiteit – dat wil zeggen over de directe weersomstandigheden, allicht. 's Winters brandt in de schouw een knappend haardvuur, en soms ook in de zomer, je bent er als het ware thuis, als je tenminste een thuis hebt, wat lang niet zeker is sinds de tijd dat mevrouw Thatcher in deze contreien heeft huisgehouden, in de jaren tachtig. In de grote steden zwerven hele legers vagebonden rond, men slaapt en sterft in kartonnen dozen, en dat midden in een rijk land ...

'Ja, maar wat deed hij daar nou in Yorkshire?'

O, dat is een heel verhaal ... Nadat hij in Parijs een diploma had behaald, was Adam weer naar huis en haard in Marokko teruggekeerd, en had hij daar gedurende enkele jaren zijn métier uitgeoefend in het stof van een slaperig mijnwerkersstadje, hij had met noeste vlijt mineralen en schachtkool geproduceerd, had gezien hoe de grijze slakkenbergen steeds hoger werden en de mijngangen zich steeds verder uitstrekten, en was op een gegeven moment tot het inzicht gekomen dat hij op de verkeerde weg was en dat hij veel liever wilde reizen om de wereld beter te begrijpen. Een ambitieus plan ... De wereld begrijpen, in al zijn diversiteit en rijkdom, met al zijn talen, kleuren en klanken. De wereld te lezen, te beleven, hem te horen zuchten, hem te proeven ... Adam was onderzoeker geworden, zo'n beetje overal, in Parijs, Amsterdam, Brussel. Hij was uiteindelijk gepromoveerd op een economisch onderwerp, het was eigenlijk een misverstand: volgens de Franse universiteit was economie een soort vergaarbak waarin je van alles en nog wat tegenkwam, sociologie, psychologie, geschiedenis, en daarom verwachtte hij van dat vak antwoorden op alle vragen. Maar de Angelsaksen hadden de grauwe vlag van de *American Economic Review* geplant op het terrein waar eertijds Braudel, Perroux en Sauvy met zo veel bravoure hadden rondgegaloppeerd. Voor hij het wist zat Adam midden in de algebra en de topologie, te goochelen met de ingewikkeldste berekeningen, afgeleide verzamelplaatsen, integraalrekeningen ... De stelling van het vaste punt, de coëfficiënten van Lagrange ... De studies van Brouwer, van Von Neumann ... Altijd weer die wiskunde, overal en nergens kwam je haar tegen, tot in het gevoelsleven, in het huwelijk, in de criminaliteit ... De criminologische economie: jazeker, die bestaat, Adam hoorde tot zijn ontsteltenis dat die door iemand was uitgevonden die daar de Nobelprijs voor had gekregen, een hoogleraar uit Chicago (kijk eens aan!). Nee, in die richting moest je het dus niet zoeken, dat was duidelijk.

'Ja, maar wat deed hij nou in ...'

Hij was in Yorkshire terechtgekomen vanwege een onderzoeksbeurs die hij had gekregen. En hij maar onderzoeken, soms heel fanatiek, soms alleen maar een beetje sloom, maar hij vond maar zelden iets, want wat is dat een droge discipline, econometrie! zo droog als gort! Maar daar ging het niet om: waar het wel om ging, was zijn geheime project: het *begrijpen van de Engelsman.* Iets fascinerends, die Engelsman! De Peul, die was nu wel bekend, de Soussi had men zo langzamerhand wel een beetje in de gaten, de Papoea werd diepgaand geanalyseerd, maar de *English*? Goed, er gingen allerlei geruchten over, je had min of meer een beeld van hem, vage schetsen gebaseerd op verhalen van horen zeggen en onbetrouwbare praatjes: in Tanger werd gezegd dat hij tweeslachtig of homogericht was, in Marrakesj zag men hem eerder als rijk, in Essaoeira dacht men dat hij gek was; maar Adam Serghini wilde zich er zelf van overtuigen, *de visu,* hij wilde het zelf meemaken, het ruiken, het vluchtig palperen. Hij ging dus zelf kijken, *in situ,* hij had niks tegen reizen en ontdekkingstochten. Zodra de economische faculteit aan het eind van de middag haar deuren sloot, ging hij rondkijken op de velden waar wordt gecricket, hij scharrelde rond op bouwerijen en autosloperijen, stak zijn neus onder motorkappen, snuffelde aan V-snaren en zuigerstangen en doolde rond in speelholen waar oude dames 'bingo!' brullen onder het zwaaien met een klein kartonnen kaartje. Het was allemaal één grote verrukking. Al de eerste dag ontdekte hij dat men in die streken 'cheers' zei en niet 'thank you'; na enige weken viel het hem op dat veel autochtonen korte bovenbenen hebben (hij weet dit aan inteelt of het Keltendom); hij constateerde dat hoffelijkheid hier een regel is en geen uitzondering (als je buiten Londen je voet boven op de tenen van een Engelsman zet, is hij degene die zijn excuses aanbiedt ...). Avond aan avond noteerde hij zijn bevindingen in een klein waterbestendig opschrijfboekje dat hij vervolgens in zijn reiskoffer wegsloot.

Het had hem niet meer dan een paar dagen gekost om te ontdekken waar de ziel, de diepere waarheid, de essentie van deze geheimzinnige etnische groep zich verschool: in de pub!

Maar opgelet, je hebt pub en pub.

Je hebt de industriële, infame, commuine standaardpub, in spetterende kleuren en neonverlicht, een driedimensionale Hopper waar je je verplicht moet amuseren voor 2.99 pond sterling per consumptie. Je kunt er ook te eten krijgen: chili con carne in vloeibare vorm, ziltig smakende lasagne, slappe macaronischotels en lokale specialiteiten waarmee je in ontzetting kennismaakt, waarna je gauw een goed heenkomen zoekt. Aan muziek knalt er gewoonlijk een keiharde stamper door de ruimte, je moet schreeuwen om erbovenuit te komen, en zaterdagavond is men kortgerokt, want dan zijn alle verkoopstertjes op het oorlogspad. Adam was een geregelde bezoeker van die oorden, hij ging er kijken zonder gezien te worden – hij was trouwens volmaakt onzichtbaar, niemand die ooit iets tegen hem zei, niemand die ooit een bestelling kwam opnemen, zelfs niet als hij boven op zijn stoel ging staan, en als het hem ten slotte toch lukte om in de vlucht een langssnellende drankenschenker aan te schieten en hem om een glas ananassap vroeg, dan staarde die hem in volslagen verbijstering aan, het was alsof Adam een Toeareg om een cola had gevraagd. De klanten leken zich allemaal opperbest te vermaken, maar het kon evenzogoed een stelletje figuranten zijn die een perfecte imitatie van het geluk weggaven. Je had er alle verschijningsvormen van de menselijke samenscholing, hele trossen studenten, stelletjes waar niks vreemds aan was, onverstoorbare eenlingen die getweeën of gedrieën het gezellige samenzijn beoefenden ...

En dan zijn er de pubs die een insulaire wanhoop uitstralen, waarbij je een aanvechting krijgt je aan de dichtstbijzijnde galg te verhangen, de pubs die een droef vaarwel ademen aan een Empire en een Commonwealth die voorgoed voorbij zijn ... Dat zijn de beste. Dat is waar je wezen moet. Daar moet je ergens neerstrijken, in het halfduister. De mannen die daar komen, houden het duidelijk voor gezien. Ze hebben nergens meer mee te maken, praten over voetbal of tegen hun glas pils en zijn vaak halfsimpel. Dames, het rijk is aan u. Een vod ben ik, en een vod zal ik blijven, nog slapper dan een vaatdoek. Ik woon hier vlak om de hoek, driehonderd meter verderop: dit is mijn wereld, dat is mijn Romeinse heerweg, mijn navelstreng. Voortaan is het aan de Chinezen; laat die de Zuidpool en de woestijnen van de wereld maar doorkruisen. *Doctor Tsiang Hua, I presume?* De zwarten hebben de jeugd, de Arabieren de olie, Brazilië het millennium, en India de autofabrieken. Vergeet ons maar. Wij zijn het verleden, wij zijn *overleden*. Trouwens, het is nog een feit ook: dit eiland zinkt ieder jaar een paar millimeter dieper weg in het Kanaal, en zo zitten we dan met z'n allen, verstijfd en sloom, *stiff upper lip*, te wachten totdat we in de met benzine, lege flessen en rommel vergeven golven van de Atlantische Oceaan ten onder gaan.

Daar is de Blue Bell er een van, van die gealcoholiseerde rampoorden. Het is een van Adam Serghini's meest favoriete observatieposten.

Dus, 'ik ben de rijkste vrouw van Yorkshire', niet slecht als binnenkomer. Wamma! Ga maar zitten ...

En toen? Wat zei ze daarna?

Daarna zweeg ze, ja stel je voor, ze zei niets meer, misschien was ze er zelf van geschrokken, of schaamde ze zich, misschien ging ze zelfs door de grond door wat ze er zomaar had uitgeflapt. Je hebt zo van die dingen die je eruit gooit zonder dat je er erg in hebt, en waarvan je op slag spijt hebt, je zou het weer willen inslikken – maar nee, het is te laat. *Verba volant* ... De woorden hebben vleugels, de geluidsgolven verspreiden zich, daar kun je niks aan doen. Zo zie je dat de tijd onverbiddelijk en onomkeerbaar voortschrijdt.

'Really?'

Adam heeft het niet hardop gezegd, dat woord, maar hij trekt zo'n verbijsterd gezicht dat het is alsof hij in stilte de dame toeschreeuwt dat ze er meer over moet zeggen, dat ze het verder moet uitwerken, nader moet uitleggen. Je gaat je toch niet eerst zelf beschuldigen dat je het grootste fortuin van het hele kanton bezit en je vervolgens in volslagen stilzwijgen hullen? Maar niks hoor, ze is veranderd in een zoutpilaar of een marmeren zuil – ze heeft er ook haast de kleur van – ze klemt haar kaken op elkaar. Niemand heeft er iets van gemerkt, de hele droefgeestige pub gaat gewoon door met zijn geroezemoes, vriend Daniel, rechts van Adam, is nog steeds die twee studentes aan het entertainen.

Adam weet het nog niet, maar de vrouw die naast hem zit, aan zijn linkerkant, die vrouw die haar rookwolken over hem uitblaast, is inderdaad uitermate goed bemiddeld. Ze zit er *warmpjes* bij, zoals dat heet. Dat zou ze hem een paar dagen later ook werkelijk bewijzen: ze zou hem vertellen dat zij degene in York is die *Clement Juglar* en *Quesnay and Co* bezit. Dat zijn boetieks. *Very* chic. Ze liggen aan de grootste winkelstraat van York. Je kunt het niet eens een straat noemen, het is je reinste goudmijn, een stroom van zilver en goud die van de kathedraal richting stadhuis stroomt. *Piero Straffa*, de laatste Italiaanse mode, dat is zij. En ook *Franco Modigliani*, dat is selecter, gedistingeerder. Maakt niet uit, ieder zijn smaak, maar voor haar rinkelt hoe dan ook steeds maar weer de kassa, *money, money, money*.

'Op zaterdag komen er klanten uit Leeds, uit Londen zelfs ...'

Ze zit in de haute couture, in de mode, in een wereld van glitter en *make-believe*. Ze verkoopt haar spullen voor viermaal de prijs, maakt voor honderden procenten winst, klopt haar klanten het geld uit hun zak en voert met de geroofde centen de staat van een poenige parvenu. Ze bezit een sauna in Harrogate die ze hem zal laten zien, zegt ze (maar die belofte zal ze niet nakomen), twee restaurants en een antiquiteitenwinkel die ze laat beheren door een aantrekkelijk stel, een zekere Dennis en een zekere Bob, allebei om door een ringetje te halen. Ze heeft ook een zaak die in karamelbonbons doet. Het lijkt wel een sprookje.

'Je bent toch Fransman, niet?' vraagt ze hem op een keer.

Ja, wat is hij eigenlijk, Adam Serghini, hoe moet hij dat ooit uitleggen? Daar zou hij een heel boek voor nodig hebben, hele schema's, een paar diepe zuchten, plus een dosis onzekerheid en angst ... Dan maar even meebuigen, voorlopig ...

'Ja, ik ben Fransman.' (Dat had hij haar in hun eerste gesprek al te kennen gegeven, maar ze doet alsof ze dat vergeten is – een tactiek die ze vaker zou gebruiken.)

'O, Frankrijk! Daar ben ik heel vaak, ik zit in de haute couture, snap je (ja, dat snapte hij, dat zit ze hem nou al meer dan een uur te vertellen). Maar Frankrijk wordt erg overschat (dat kleineren van Frankrijk, is daar een reden voor – misschien gewoon een eeuwenoude rivaliteit tussen twee grote stammen?). Ik ga tegenwoordig meer naar Italië om in te kopen. Milaan ...'

Ze zegt het op een speciaal kortaf toontje, waar je vingers onwillekeurige wurgreflexen van krijgen. Maar weer weet Adam zich te beheersen. Want één ding was hem meteen bij hun eerste ontmoeting, bij die spectaculaire beginzin van haar, glashelder geweest: hij had hier een koningin te pakken, de bijenkoningin van de bijenkorf die het centrum van York is, en hij moest zich nog maar een paar prikken laten weggevallen, in naam van de wetenschap. Als hij het maar eerst allemaal in het kleine waterbestendige opschrijfboekje had genoteerd, dan kwam, als het onderzoek eenmaal in kannen en kruiken was, de rest later wel aan bod, het vertrappen, razend onder zijn hakken vermorzelen van dat verdomde rotkreng! Hoe erg je datgene ook haat wat je onder het mes hebt (misschien móét je wel haten wat je onder het mes hebt), het gaat erom dat je het karwei naar behoren afmaakt.

Het is bijna niet te geloven dat een vrouw in een kroeg zomaar een volslagen onbekende aanspreekt met de opmerking dat ze de *number one* van de lokale Croesussen is. Nee, zoiets doe je niet, dat bestaat niet, je overdrijft, je kletst maar wat ... Toch is het waar, zo is het echt allemaal begonnen, daar op dat bankje. Maar voor een beter begrip moet ik misschien eerst een idee geven van de omgeving, de omstandigheden.

Een half uur voordat hij de Blue Bell betrad, die hem op dat moment nog onbekend was, stond Adam pal tegenover de kathedraal van York, die men daar de *Minster* noemt.

De kathedraal is werkelijk adembenemend, vooral ook omdat hij direct aan de straatkant ligt en zogezegd pal voor je oprijst. Zowel van binnen als van buiten lijkt hij uit zuiver ivoor opgetrokken, en ondanks de beschadigingen door de protestanten die alle beelden die de buitengevel sierden hebben kapotgeslagen, heeft deze kerk toch nog steeds iets feestelijks, door het kanten kleed dat hem tooit. Boven op de zware Normandische torens bevinden zich een aantal kleine torentjes, helemaal volgens de regels zou je kunnen zeggen. Binnen is alles even kolossaal van afmeting, het duizelt je, zo immens hoog reiken de gewelven ...)[*]

Een klein bescheiden kuchje.

'Neemt u me niet kwalijk, meneer, maar mag ik u iets vragen?'

Adam draait zich om, ontwakend als uit een droom, en hij ziet een nog jonge man met een melancholiek gezicht,

* Uit: Julien Green, *Villes*, p. 245.

kort haar, enigszins kalend, een klein, zorgvuldig geknipt snorretje, de rest is gehuld in een parelgrijze trui en een jeans.

'Gaat uw gang.'

'Ik heb meer dan een kwartier door het raam van Reeds, waar ik thee zat te drinken, naar u zitten kijken. U hebt al die tijd geen vin verroerd. Het heeft iets moois, een volkomen roerloos mens. Waar staat u toch zo aandachtig naar te kijken?'

Adam antwoordt dat hij zich altijd een beetje ergert aan gotische kathedralen vanwege hun gebrek aan symmetrie, maar dat deze hier niet aan dat euvel schijnt te lijden. De man luistert zwijgend. Hij kijkt Adam aan, bestudeert de kathedraal, kijkt hem opnieuw aan, dan steekt hij zijn hand uit.

'Mijn naam is Daniel Wilson, wilt u iets met me gaan drinken?'

In de Blue Bell gezeten, hij voor een pils, Adam voor een ananassapje, vraagt Daniel Wilson aan Adam Serghini of hij architect is. Nee. Historicus. Nee. Beeldhouwer. Nee. Waarom zou hij zich voor de duivel anders voor de symmetrie van kathedralen interesseren, waar of niet? Adam begrijpt de vraag niet helemaal. De Engelsman herhaalt hem, nog een keer en nog een keer, totdat hij bij het vijfde pilsje begint te beseffen dat het eigenlijk een nogal zinledige vraag is. Bij het achtste weet hij het heel zeker, hij slaat met zijn vuist op tafel: Die veronderstelde symmetrie van gotische kathedralen is een ernstige zaak, het is belangrijk, nee, het is noodzakelijk dat dat eens grondig bestudeerd wordt. Verder is er nog iets anders wat minstens even belangrijk is: hoe komt het eigenlijk dat niemand ooit kleine babyduifjes ziet? Die klerebeesten worden toch niet volwassen geboren, zoals die ene knakker uit de Griekse mythologie die in volle wapenrusting uit de buik van zijn moeder tevoorschijn komt? Hoe komt het dat de Mississippi van beneden naar boven stroomt? Waarom is er in elke Amerikaanse film iemand die op een gegeven moment schreeuwt: *Let's get out of here*? Of, een andere variant op de non-gevarieerdheid: *Follow that car!*

Intussen wordt het gesprek tussen Daniel en Adam door de hele Blue Bell vol enthousiasme gevolgd, iedereen is het roerend eens: het verwardste gesprek van de hele tent. Gestimuleerd door de diverse brouwersproducten van Yorkshire komen de tongen los, ieder komt met de prangende vraag die hem al zo lang kwelt. Er wordt geschreeuwd, gegild, geruzied – wat niet vaak gebeurt op die plek.

'Laten we gaan,' zegt Adam tegen Daniel Wilson, 'het loopt uit de hand.'

'Nee, juist niet: de maskers gaan af.'

Adam heeft de zwijgende vrouw links van hem nog steeds niet opgemerkt, een elegant geklede verschijning, ze zit kaarsrecht op haar stoel. Dat komt doordat vriend Wilson rechts van hem gezeten is en ze, toen de rust in de pub weer was teruggekeerd, in gesprek waren geraakt met twee onnozel lachende studentes die tegenover hen zaten. Ze waren zojuist binnengekomen en gaan zitten en hadden dus niet de opschudding van daarnet meegemaakt. Het gezelschap heeft het over van alles en nog wat, zoals dat gebruikelijk is. De studentes maken algauw op Adam de indruk van een stelletje kappersassistentes die van toeten noch blazen weten (ze hebben nog nooit van Virginia Woolf gehoord, die zichzelf heeft verdronken in de rivier die door York loopt; ze weten evenmin wie Auden is, die een paar straten verderop is geboren), ze liggen voortdurend slap van de lach, overal en nergens om. Wilson lijkt niet op de versiertoer, hij zit ze meer een beetje vertederd aan te kijken, zoals een vader dat doet bij zijn eigen spruiten, ook al zijn ze halfsimpel. Hij gaat er zo in op dat hij op een gegeven moment zich er zelfs hardop over verbaast dat ze al zo groot zijn – alsof hij ze al als baby's heeft gekend. Serghini's accent heeft groot succes bij de kappersassistentes, ze willen alles weten over de stam waartoe hij behoort, hij dist ze allerlei antropologenverhalen op, het stel ligt dubbel van de lach.

Het zal wel een mooie vertoning zijn geweest. Op een gegeven moment keek Adam onwillekeurig links van zich. Voelde hij soms hoe de vrouw naast hem zich in stilte blauw zat te ergeren (maar waarom zou ze eigenlijk?)? Of zou hij misschien een lichte druk tegen zijn linkeronderarm hebben gevoeld, een discrete maar gebiedende por met een elleboog? Wilson en hij hadden zojuist tot grote schrik van de twee jonge gansjes een gedicht van Auden voorgedragen:

The stars are not wanted now: put out every one;
Pack up the moon and dismantle the sun;
Pour away the ocean and sweep up the wood.
For nothing now can ever come to any good.

Klein elleboogduwtje. Ja, er was geen twijfel aan. Hij kijkt links van zich. Zijn ogen ontmoeten die van zijn buurvrouw. En dat was het moment waarop ze prevelde:

'Ik ben de rijkste vrouw van Yorkshire.'

2

Cruella maakt korte metten met Daniel

Adam doet zich dus heel zacht en meegaand voor, een en al glimlach. Maar de rijkste vrouw van Yorkshire (ze heeft hem nog niet haar naam gezegd, hij heeft haar al in stilte de bijnaam Cruella gegeven) heeft zich in stilzwijgen gehuld. Ze trekt nog verwoeder aan haar sigaret en zorgt ervoor hem niet aan te kijken, nu ze weet dat hij naar haar kijkt. Hij neemt haar en profil op: niet bijzonder geschikt voor op een munt, niks Romeins, zelfs niet Bourbons, het is allemaal nogal slapjes, ze heeft een neus, maar dat is dan ook alles, de wimpers hebben totaal geen noblesse, een smal voorhoofd en het knoetje is een banaal knoetje. Een verbitterd samengeknepen mondje, een arrogant naar voren stekende kin en geen konen te bekennen. Een grauwe, beetje verfomfaaide huid. Terwijl het vroeger toch een mooie vrouw moet zijn geweest, dat zie je aan bepaalde details; maar daarbinnen heerst geen rust en is ook geen blijmoedigheid, dat lees je af aan de enkele lichte groeven die het gezicht naar beneden trekken.

(Je hebt onwillekeurig de neiging je de mensen in karikatuurvorm te herinneren: de ene als een engel, de andere als een duivel, ook al lijken ze in feite allemaal op elkaar. Misschien dat ontdekkingsreizigers er daarom altijd voor zorgen potlood en papier mee te nemen, dan kunnen ze snel een schets maken van de barbaren die ze tegenkomen en hoeven ze het niet van hun eigen gebrekkige geheugen te hebben. Het is goed mogelijk dat een ander dan Adam, in andere omstandigheden, een heel andere herinnering aan het gezicht van zijn buurvrouw zou hebben bewaard.)

Het aan het oog onttrokken gedeelte van haar verschijning is onberispelijk bedekt. Ze is werkelijk heel elegant. Haar kleding is van de allerbeste kwaliteit en waarschijnlijk meer dan peperduur, maar Adam heeft daar totaal geen benul van en het interesseert hem ook niet echt (wat toch echt een misser is: hoe kun je nu ooit een volk begrijpen als je het verschil niet kent tussen het habijt van een priester, het uniform van een soldaat en de bokse van een boer?).

Hij gaat door met haar te bestuderen. Het ergert haar (terwijl zij degene was die is begonnen, zij had het woord tot hem gericht), ze kijkt hem aan en fronst haar wenkbrauwen. Adam zegt:

'Really?'

Dit keer heeft hij het hardop gezegd. Hij kon niets beters bedenken om hun doodgeboren gesprek, dat zo briljant van start was gegaan, weer nieuw leven in te blazen. Cruella gooit het over een andere boeg, ze vraagt hem plotseling wie degene is met wie hij de Blue Bell was binnengekomen. Adam doet haar het verhaal van de omstandigheden waaronder zij elkaar waren tegengekomen (de kathedraal, hun gesprekje ...). Ze buigt zich even naar voren, kijkt Daniel minachtend aan en neemt weer, een wolk sigarettenrook voor zich uitblazend, haar eerdere houding aan.

Daniel Wilson draait zich naar links, hij schijnt Adams buurvrouw te herkennen, er verschijnt een flauwe glimlach op zijn gezicht, eigenlijk is het meer een pijnlijke grijns, en hij zegt op een vriendelijke, of eerder hoffelijke toon iets tegen haar. Zonder hem maar aan te kijken, vraagt ze hem:

'Waar woont u eigenlijk?'

Wat een rare vraag, denkt Adam. Daniel geeft geen kik. Het lijkt alsof zijn ogen naar grijs verschieten – maar het is nauwelijks te zien – hij zakt een beetje in elkaar, het is alsof hij, zo mogelijk, nog kleiner wordt. Cruella staat op, kondigt aan dat ze naar het toilet gaat (*I'll go powder my nose*), buigt zich naar Adam toe en fluistert in zijn oor:

'Vraag hem waar hij woont.'

Wat Adam vervolgens, zich van geen kwaad bewust, doet, al vraagt hij zich wel af waar dit allemaal op slaat. Waarom wil Cruella zo nodig Daniels adres weten? Deze klemt zijn kaken op elkaar en geeft eerst geen antwoord. Dan prevelt hij. '*First Avenue*. Daar woon ik.' En hij laat erop volgen: '*Bitch*.' (Dat is tenminste wat Adam meent te horen.) Hij wil weer verdergaan met zijn gesprek met de kappersassistentes, maar de lol is eraf, het gesprek stokt, Wilson is er niet meer helemaal bij, hij heeft geen zin meer om verzen van Auden te declameren en wanneer Cruella weer terugkomt zit hij een beetje droevig naar de bruine rand van zijn pint bier te staren. Maar de gifslang is de draad van haar gedachten niet kwijt, o nee:

'Nou, waar woont je vriend?'

'First Avenue.'

'Ha!'

Adam wist niet dat je zo veel leedvermaak in zo'n 'Ha!' kon leggen, het is in feite alleen maar een onomatopee, maar het klonk tussen het geroezemoes van de Blue Bell als het klappen van een zweep. Hij moest plotseling vreemd genoeg denken aan de uitdrukking 'het was zo'n diepe belediging dat hij lijkbleek wegtrok' – hij wist niet of Daniel Wilson lijkbleek was weggetrokken van de belediging – moeilijk na te gaan in het halfduister van die pub – maar hij zag wel dat de ander zijn glas neerzette, opstond en met onvaste stap zijns weegs ging. De deur van de pub ging open en weer dicht en een beetje frisse buitenlucht stroomde op schouderhoogte door de ruimte, wat een paar koukleumen aan het kuchen bracht. De twee kappersassistentes, die opeens zonder gesprek zaten, volgden algauw Daniels voorbeeld. Adam bleef alleen achter – niet helemaal natuurlijk, de pub was niet leeg, maar hij zat opeens zonder gezelschap, dat was het meer.

(Hij had niet de tegenwoordigheid van geest om Daniel Wilson achterna te gaan om hem te vragen wat dat kleine toneelstukje van zojuist eigenlijk te betekenen had gehad. Een paar dagen later legde een van zijn collega's hem de topografie van York uit. Laten we het zo zeggen: een hond mag zijn ogen opslaan naar een bisschop, maar een bewoner van *First Avenue* heeft nauwelijks het recht zijn blik te richten naar een Cruella, een rijke vrouw die de gehele aristocratie van het graafschap tot haar vriendenkring mag rekenen (zoals bijvoorbeeld de bewoners van Castle Howard, waarvan ze je te pas en te onpas vertelt dat ze daar kind aan huis is). Maar hoe pijnlijk ook, het incident maakte Adam wel één ding duidelijk, namelijk dat Engeland *voor alles* een klassenmaatschappij was. Hij was uitermate tevreden over deze onomstotelijke conclusie en noteerde haar zorgvuldig in zijn kleine waterbestendige opschrijfboekje.)

Nu ze het rijk voor zich alleen heeft, neemt Cruella de jonge Serghini eerst eens zorgvuldig op. Hij weet niet hoe hij het heeft, het lijkt warempel wel of ze daar in het volkenkundig museum zitten, ze inspecteert heel nauwkeurig zijn gezicht, kijkt schattend naar zijn schedel (brachycefaal?), neemt hem nog eens in zijn geheel op, het scheelt niet veel of ze voelt aan zijn spieren en kijkt naar zijn gebit. Hij voelt zich een soort paard, hij zou haast gaan hinniken van verontwaardiging, maar nee, hij heeft zich vast voorgenomen om van zijn passiviteit zijn kracht te maken. Ze vraagt hem op een toon die geen weerwoord duldt wie hij is en wat hij daar in de Blue Bell doet, want dat is een herberg waar alle klanten bekend zijn en waar een vreemdeling zoals hij opvalt. Hij zou er natuurlijk dwars tegenin kunnen gaan, kunnen antwoorden dat het haar niet aangaat, dat het daar toch een republiek is, al is-ie vermomd als monarchie, dat hij mag gaan en staan waar hij wil, enz. Maar dat doet hij niet, en hij draait zijn hele curriculum vitae af, er wel voor zorgend alles wat zijn barbareske origine betreft achterwege te laten.

Je zou je misschien kunnen afvragen waarom Adam Serghini zijn geboorteplaats en zijn toebehoren aan de alavietische dynastie heeft verzwegen? Een kleine anekdote, bij wijze van toelichting. Het was in het begin van de jaren tachtig, een tijd van studie en onbezorgdheid. Adam ging destijds af en toe eens een praatje maken met een Algerijnse vriend die een klein hotelletje had in de rue Saint-André-des-Arts, niet ver van de place de Fürstenberg. Op een zondag is hij zoals gewoonlijk in een druk gesprek gewikkeld met bedrijfsleider Dahmane, in diens kantoor op de begane grond. (Stel je Dahmane voor als een klein, gezet, enigszins kalend en bebrild mannetje.) Beide vrienden hebben het over van alles en nog wat. Na verloop van tijd voegt zich nog iemand bij hen, een Braziliaan, een vrolijke fierefluiter met een beetje schimmige bezigheden buitenshuis die daar een tijdje in dat hotel zijn tenten heeft opgeslagen, en het gesprek wordt voortgezet in een soort smokkelaars-Engels. De Braziliaan is bezig ze de grap van de priester en de *garimpeiro* te vertellen wanneer er plotseling een tengere blondine in de deuropening verschijnt, ze is nogal schaars gekleed – het is warm – ze heeft iets aarzelends. Het is een van de hotelgasten, ze is zojuist uit haar kamer naar beneden gekomen en vraagt – ze valt iedereen zomaar in de rede, zonder zich daar in het minst voor te generen, wat verlegen types wel vaker hebben als ze eenmaal op dreef zijn – ze vraagt Dahmane of hij een plattegrond van Parijs voor haar heeft. De Braziliaan ergert zich blauw – hij kon zijn grap niet uitvertellen (zoiets is altijd heel irritant, je weet je op zo'n moment niet goed raad; moet je, ondanks de storing, met stemverheffing het snel afraffelen, moet je het allemaal heel in het kort en vanaf het begin samenvatten of het maar laten zitten en beter tijden afwachten?) –, de Braziliaan kijkt haar aan, moppert wat en gaat in de deuropening van het hotel staan om te zien wat er zoal buiten op straat allemaal te beleven valt. Dahmane heeft ondertussen vanonder de balie een plattegrond van Parijs tevoorschijn gehaald – daar heeft hij een hele voorraad van – en geeft die aan het meisje. Laatstgenoemde vouwt hem wat onhandig open en begint hem te bestuderen alsof het een kaart van Nieuw-Guinea betreft, iets volslagen onbegrijpelijks, vol geheimzinnige gebieden, waaruit elk moment een oorlogszuchtige stam menseneters kon opduiken. Ze vraagt Dahmane 'waar de monumenten zijn'. Je kunt de Braziliaan op de hoteldrempel horen grinniken: hij ergert zich echt helemaal blauw aan dat onnozele grappenverpestende wicht, die twee zullen nooit vrienden voor het leven worden. Dahmane pakt een balpen en begint de attracties van Parijs met blauw te omkringelen. Maar opeens bedenkt hij zich, onderbreekt zijn geografenwerk en zegt tegen haar – nog steeds in zijn steenkolenengels:

'Maar er is een veel betere manier om Parijs te leren kennen. Je hebt namelijk hem daar, mijn vriend, *my brother*.'

En hij priemt met zijn wijsvinger door de lucht in de richting van de persoon van Adam Serghini.

'Het is een Zweedse', fluistert hij tegen hem, alsof dat detail op zich boekdelen sprak of een heel programma inhield.

Het meisje glimlachte, ze had hagelwitte tanden en hemelsblauwe ogen. Het leek wel alsof ze kronkelde van blijdschap.

'Wilt u me echt de monumenten van Parijs laten zien? *How nice ...*'

Dus ontpopt Adam zich ter plekke als kornak; hij doet het met plezier, hij heeft die ochtend toch niks dringends te doen. En bovendien, het is stralend mooi weer. Voordat ze de Arc de Triomphe, de Eiffeltoren en de riolen van Parijs gaan verkennen, stelt hij de kleine globetrotter voor een kopje koffie daartegenover te gaan drinken, vlak bij het standbeeld van Danton, om de expeditie wetenschappelijk voor te bereiden. Zo gezegd, zo gedaan, daar zitten ze dan aan een cafétafeltje, ze is een en al aandacht, een en al glimlach, kristalheldere kijkers; hij oreert er dapper op los, behandelt de geschiedenis van Parijs van het allereerste begin met Adam (!) en Eva, die allebei in de buurt van de Notre-Dame hadden gewoond, zoals iedereen weet. Wanneer hij gauw een slokje koffie neemt om weer op adem te komen – hij is net toe aan de inname van de Bastille – zegt ze terloops:

'Ik weet eigenlijk helemaal niet hoe u heet.'

O, als dat alles is, nou dat zal hij haar wel eventjes onthullen. *My name is Adam Serghini!* Ze fronst haar wenkbrauwen.

'Is dat Frans? Het klinkt meer Italiaans.'

'*Not exactly*', zegt hij heel trots tegen haar. Adam, dat heb je in alle talen van de wereld. Maar waar Serghini vandaan komt, ja, misschien wel van de kusten van Fenicië of de oevers van de Nijl, of van het Arabisch schiereiland, dat weet men niet goed, door de invasies is het een naam die zo'n beetje overal ter wereld bekend is geworden. Op die manier is die naam – tegelijk met de kamelenkaravanen – hier aangekomen, in ons land.

'Wat een raar idee van uw ouders om zich zo te noemen.'

'Je moet het ze maar niet kwalijk nemen: ze zijn inwoners van sjerifische rijk. Net als ik.'

'Hè? Wat? *What*? Bent u geen Fransman?'

'Nou, nee, *I am Moroccan*.'

En dan gebeurt er opeens iets ongehoords. De glimlach van de jonge Zweedse verdwijnt ('smelt weg als sneeuw voor de zon' zou hier de passende uitdrukking zijn, gezien de temperatuur van dat ogenblik en het land van herkomst van de jongedame): ze wordt doodsbleek (wat op zich al een prestatie is als je zo'n sneeuwwitte huid hebt); ze spert haar ogen wijd open, springt overeind, draait zich om en stormt weg. Het geheel heeft niet meer dan drie seconden geduurd. Adam kijkt gauw even achter zich om er zeker van te zijn dat haar paniek niet te wijten is aan een leeuw, of een grizzlybeer die opeens achter hem was opgedoken, met de klauwen grijpklaar omhoog geheven en opengesperde muil; maar niks hoor, het is helaas maar al te duidelijk, het komt allemaal door de goeie ouwe Serghini zelf, die bijziende en gesjochten student, het ongevaar lijkste type in de wijde omtrek, die primaire, instinctieve reactie komt enkel en alleen door hem; en daarvoor had hij alleen maar zijn identiteit hoeven prijs te geven.

Hij dronk het glas jus d'orange van de vluchtelinge leeg (de gouden regel van de student: nooit iets verloren laten gaan).

Na eerst een lange, melancholieke wandeling langs de oevers van de Seine te hebben gemaakt, is hij diezelfde avond toch maar naar de rue Saint-André-des-Arts getogen om erachter te komen hoe de vork nu eigenlijk in de steel zat. Dahmane ging prompt met wijd uitgespreide armen voor de trap staan die naar de etages van het hotel leidt, en beschuldigde hem midden in zijn gezicht dat hij zijn hotelklante had proberen te verkrachten.

'Wat heb je met haar uitgevoerd, jij viezerik? Ze kwam helemaal over haar toeren terug, ze is naar haar kamer gestormd alsof ze de boze wolf was tegengekomen.'

'Ze is alleen een Arabier tegengekomen ...'

(Buiten adem en bezweet komt de etnoloog in een hooggelegen bergdorpje aan, ergens in de buurt van Ahssen. Hij komt van zijn muilezel af, gaat een praatje maken met de inboorlingen. Deze zijn aanvankelijk heel vriendelijk en een en al glimlach, hij wordt uitgenodigd in een tent en ze vragen hem:

'Waar kom je vandaan?'

'Nou, uit Levallois-Perret.'

Die woorden hebben het effect van een donderslag, totale paniek. Alle dorpelingen springen als één man overeind, stamhoofden en dorpsoversten, ridders en voetvolk, vrouwen en kinderen, het stormt allemaal halsoverkop de tent uit, de bezoeker ziet ze er allemaal in een onbeschrijflijke wanorde vandoor gaan, in een grote stofwolk, richting bergtoppen.

En de etnoloog blijft in zijn eentje achter.)

terug naar Cruella's verhaal

Na Adams argumenten ter verdediging van zijn aanwezigheid in het Yorkshirse te hebben aangehoord, neemt zijn gesprekspartner hem een beetje wantrouwig op (hij stelt bij zichzelf vast dat ze nog niet eenmaal heeft geglimlacht. In feite zal hij haar gedurende hun hele relatie nooit één keer zien glimlachen, of lachen), ze neemt hem dus op, of eerder ze weegt hem, en vraagt:

'Wat doe je aanstaande donderdagavond? Heb je dan tijd?'

'Ik heb elke avond tijd, mevrouw.'

'Goed, kom naar restaurant La Baguette tegen acht uur 's avonds (het komt eruit als een bevel). Dan ben ik er ook.'

Ze staat op, neemt hem opnieuw misprijzend op en dan vertrekt ze, na eerst nog op zeer geheimzinnige toon de volgende zin te hebben uitgesproken:

'Misschien kunnen we nog iets van je maken.'

Letterlijk.

Dat zei ze echt: íéts.

3

Samenvatting van Corry's leven

Adam is zijn licht gaan opsteken bij Edward, een van zijn collega's (Edward kent iedereen in York, hij woont er al twintig jaar): dat infame wijf heet niet Cruella, maar Cordelia, Corry voor intimi (als er al intimi zijn) en ze is inderdaad *the richest woman in Yorkshire*. Zijn collega vraagt waarom hij zich voor de duivel zo voor haar interesseert, Adam doet het verhaal over de scène in de Blue Bell, Edward krabt zich op zijn kruin terwijl hij hem verbijsterd aankijkt, en zegt dan in zijn onnavolgbare Welshe accent:

'Maak dat je wegkomt voor het te laat is.'

Adam vraagt zich of Edward een grapje maakt. Je weet het nooit met die Welshmen (hij is erg trots op zichzelf dat hij zo snel dat essentiële aspect van de mentaliteit van dat kleine dappere en sympathieke volk had doorgehad, hij heeft een aantal voorbeelden ervan in zijn waterbestendige opschrijfboekje genoteerd).

De week ging heel snel voorbij. Adam had problemen met zijn computer, die maar niet kon geloven dat men hem een som wilde laten oplossen met veertienduizend vierhonderd en acht vierkantsvergelijkingen. Maar dat was toch echt de opzet. Adam probeerde zijn weerstand te breken door hem verschillende malen achter elkaar dezelfde instructies te geven, maar hij bleef koppig, die Packard Bell, zoals alleen machines dat kunnen zijn. Zelfs wanneer Adam hem met een list erin probeerde te laten tuinen en net deed alsof hij zijn eisen omlaag had geschroefd, bleef de computer op zijn hoede. Soms deed hij net alsof hij urenlang aan het rekenen was – dan liet hij een icoontje verschijnen in de vorm van een peinzende Socrates; maar zodra Adam even een sandwich in het cafetaria ging eten liet hij snel op het scherm een of ander hypocriet bericht verschijnen in de trant van: 'onvoldoende geheugen' of *'Jacobian too large'* (wiskundetaal) dat de wetenschappelijk onderzoeker dan als hij terugkwam aantrof, alsof het een soort straf was – 'Zo, ga jij gauw lekker eten en moet ik hier blijven werken voor jou?' Kortom, door al zijn ellende met die stijfkoppige robot verloor hij af en toe de tijd uit het oog, temeer doordat hij op woensdagavond ook nog een vreemd soort avontuur met een advocaat beleefde. Voordat hij het goed en wel wist was het donderdag en zat hij op het afgesproken tijdstip in La Baguette, een minuscuul Frans bistrootje, of wat daarvoor doorging, niet ver van de kathedraal gelegen – wat nu niet zo bijzonder was, want niets is erg ver van de kathedraal gelegen in York.

Tijdens zijn wandelingen was het Adam al eerder opgevallen, dat restaurant, maar hij was er nooit naar binnen gegaan – je gaat nu eenmaal niet naar York om bouillabaisse te eten. Hij was de drempel nog niet over of zijn mond viel open van verbazing. Dit ging werkelijk alle perken te buiten, wat hier allemaal aan kitscherige prullaria en petieterige toeristische mikmakrommel bij elkaar was gebracht, ongelooflijk! Je had er van alles: op elke tafel – allemaal gedekt met geruite Vichykleedjes – stond een plastic Eiffeltoren, aan het plafond hingen visnetten (je reinste nepnetten, natuurlijk), tegen de wanden zat van alles en nog wat gespijkerd, geplakt of met plakband bevestigd, een gezicht op Mont Saint-Michel, een Gavroche, een poulbot en een zigeunerinnetje, allemaal met een traan in het oog, een aantal alpinopetten, het affiche van Dubo-Dubon-Dubonnet, een Montagne Sainte-Victoire, een reclame-affiche van de SNCF, nog eentje van La vache qui rit, een vergeelde poster met *Engagez-vous! Rengagez-vous!*, een paar prenten van straten in Parijs, naast elkaar foto's van een jonge Brigitte Bardot en een bejaarde De Gaulle, drie nepschilderijen met daarop een in mekaar gefabriekt Montmartre en een stelletje zogenaamde Parijzenaars die geen mens ooit ergens heeft gezien, plus nog een tweecentsprent van het station van Perpignan. Achter de tap, boven de rijen flessen, prijkte een soortement grote schelpencompositie die de naam Saint-Tropez uitbeeldde. Het was niet duidelijk wat de bedoeling van deze hele uitstalling was: moest je het nemen zoals het was, of had het een dubbele, of zelfs een driedubbele bodem?

Cruella was al ter plekke, tronend op een bankje. Ze keurde Adam Serghini een minachtende blik waardig en gaf hem op hooghartige toon het bevel om tegenover haar plaats te nemen.

'Sit here!'

Maar de jongeman had zich op deze ontmoeting kunnen voorbereiden. Hij begon dus, als man van de wereld, met haar op wellevende toon voor te stellen een aperitief te nemen. Ze grinnikte.

'Ik ben al begonnen, hoor.'

En inderdaad, ze had een flûte champagne in haar hand. Hij kneep zich hard in zijn dij als straf voor zijn totale onoplettendheid. Hij pakte de menukaart, die in het Frans was met in kleine lettertjes de Engelse vertaling eronder. Na hem aandachtig te hebben bestudeerd, vroeg hij aan zijn gezelschap:

'Wat gaat u bestellen?'

Ze pruilde. Er kwamen een paar woorden uit.

'Ik neem nooit iets à la carte. Ik maak zelf uit wat ik wil hebben. Ik kom heel vaak in dit Franse restaurantje. Het is hier zo authentiek.'

Ze stak een sigaret op en blies trefzeker een grote rookwolk midden in Adams gezicht.

'Mag ik je erop attent maken dat jij de uitnodigende partij bent. Een vrouw betaalt nooit voor een man, niet in het restaurant, niet in de schouwburg, onder geen enkele omstandigheid.'

'*Of course*', antwoordde de uitnodigende man, terwijl hij snel bij zichzelf zijn schamele universitaire salarisje vergeleek met wat Cruella met haar verschillende modeboetieks, haar sauna en de verhuur van haar karamellenwinkel moest verdienen.

Even later verscheen er een jonge ober, Gustave genaamd – zo stelde hij zich tenminste aan Adam voor –, die een diepe buiging voor Cruella maakte. Hij sprak Engels met een verschrikkelijk Frans accent. Adam leidde eruit af dat hij waarschijnlijk van Hongaarse of Armeense origine was.

'Wat mag het zijn, Cordelia?'

'Gegrilde zeetong, een stukje citroen, een salade. Wat de wijn betreft, daar gaat mijn vriend doctor Serghini (kijk eens aan, ze noemde hem opeens doctor) over: pas maar op, hij is een kenner, hij komt uit Parijs.'

Gustave keek Adam aan. Zijn blik had iets vaags vijandigs.

'Bè-je Fransman?'

'Jawohl.'

'Ik ook. Kom uit Marseille. Bè-je hier al lang in York?'

'Een paar maanden.'

'Nou, welkom dan (hij zei het zonder veel overtuiging en deed niet eens alsof hij er zelf in geloofde). Maar ik waarschuw je: er is hier niks te doen.'

'Dat komt goed uit: ik hou van niksen.'

Gustave produceerde iets wat op een glimlach leek, hij deed het heel vakkundig (altijd net doen alsof je de gevatheden van de klant waardeert, ook is het om te huilen), en noteerde de bestelling in een klein opschrijfboekje.

Adam, die nooit van zijn leven een druppel alcohol had geproefd, was een totale nul op het gebied van wijn, maar hij tuitte precieus zijn lippen en wees met superieure zelfverzekerdheid een wijn aan met een driedubbele naam (château-van-der-dinges-tot-faldera) die klonk als een klok. Gustave knikte vol overgave.

'Voortreffelijke keuze!'

(Als ik een industrieel reinigingsmiddel had besteld,

zou hij hetzelfde hebben gezegd, dacht Adam bij zichzelf.)

Cordelia zei met luide stem:

'Allemaal dankzij mij!'

Het was niet duidelijk over wie of wat ze het had. Was het de wijn, die tent, Adam Serghini? Toen Gustave verdwenen was (hij had bij de raadselachtige uitspraak van Hare Wreedaardigheid alleen heel even, bijna onmerkbaar, zijn schouders opgehaald), nam Adam het woord.

'Cordelia (*may I call you Cordelia?*), je maakt me heel nieuwsgierig. Na die ene keer in de Blue Bell heb ik me voortdurend afgevraagd wie je eigenlijk bent. Eén ding is duidelijk: je bent te groot voor York! (*You are larger than York!*)'

Ze nam een trek van haar sigaret en antwoordde:

'Dat zeg je raak. *I am larger than life* ... Als je eens wist ...'

'Ik sta te popelen.'

Daar was Gustave weer, hij zette een paar borrelhapjes voor hen neer. Cordelia pikte er eentje uit, zette er achteloos haar tanden in, smeet het vervolgens vol verachting terug in de schotel. Ze keek Adam weer net zo aan als in de Blue Bell, een beetje pruilend en met een scherpe, onderzoekende blik. Dan zegt ze tegen hem:

'Je boft: ik ben van plan je over mezelf te vertellen. In feite was ik dat al sinds vorige week van plan, toen we daar zo naast elkaar zaten, in de pub. Later zul je begrijpen waarom. Goed, daar gaan we. Ik ben geboren (Adam had haar bijna gevraagd: Wanneer? maar hield zich nog net op tijd in – opnieuw kneep hij zich onder tafel in zijn been), ik ben geboren in Devon – dat zegt je natuurlijk niks, Devon – in een afgelegen gat. Er gebeurde daar nooit iets. De belangrijkste attractie daarginds was de hamsnijmachine bij de slager (misschien bedoelde ze de machine waarmee de worst werd gemaakt, maar hij durft haar niet in de rede te vallen, zelfs al kan hij haar soms niet helemaal volgen). Er was ook eenmaal per week markt, en dat was het dan ... Toen ik zestien werd zag ik er best knap uit en ik was heel erg opstandig, ik kon het niet goed met mijn ouders vinden, ze waren een stel benepen kruideniers die vonden dat ik hen later in de zaak moest opvolgen. Toen ben ik er op een keer vandoor gegaan. Ik zag het totaal niet zitten om daar in die tent van ze langzaam maar zeker weg te rotten ... Ik ben zonder een cent op zak naar Londen gegaan. Ik heb eerst een tijdje samengeleefd met een kerel die zei dat hij metselaar was en die ik meteen de eerste avond op een metrostation was tegengekomen (ik zei je toch dat ik er best knap uitzag?). Ik heb dus zes maanden lang met hem samengeleefd, maar toen ontdekte ik op een keer dat het een vrouw was. Goeie hemel, wat was ik naïef ...'

'Een vrouw? Maar eh, hoe ...'

'Nou ja, hij was behoorlijk goed van de tongriem gesneden, hij zei dat hij erg preuts was en zich alleen in het donker wilde uitkleden ... Maar waarom zeg ik de hele tijd hij? Zij was dus behoorlijk goed met haar tong en had ook geen twee linkerhanden. Daar zijn jullie mannen niks bij, stelletje onbeholpen kinkels. Boerenpummels ... Maar intussen bleef ik wel mooi maagd. Op een ochtend betrapte ik haar onder de douche. Dat was wel even een verrassing ...'

'Dus er zat niks op de plek waar iets had moeten zitten?'

'Ja, maar er zat hogerop, ter hoogte van de borstpartij, wel iets – zelfs tweemaal iets – waar juist niks had moeten zitten.'

('Waar hebben jullie het toch de hele tijd over?' fluisterde Gustave tegen haar, hij kwam net met het brood aan en had toevallig de twee laatste replieken opgevangen.

'Bemoei je met je eige, joh!' beduidde Adam hem met een handgebaar. (Wat was dat toch voor een bemoeial, die makker?))

Ze nam een teug van de château-van-der-dinges-totfaldera.

'Ik ben toen binnen de kortste keren van hem weggegaan, van die oplichter. Daarna werd ik verkracht door een jongleur, toen ik op een avond met hem zat te drinken in een heel naargeestig en piepklein kamertje. Na de mislukking met die metselaar had hij me opgepikt in een café, het was hij of een bende hooligans, ik had echt geen keus. Moet je je voorstellen, verkracht door een jongleur ...'

'Nee, dat kan ik me niet goed voorstellen. *Never happened to me*. Kon-ie goed met zijn *balls* jongleren?'

'*Shut up*, val me niet de hele tijd in de rede. Ik ben met hem getrouwd en met hem meegegaan naar Blackpool. Ken je dat? Badplaats, aan zee ... Gokgelegenheden, *fish and chips*, van die kleine *bed and breakfast*-hotelletjes, heel ouderwets en *cosy* ... Er is daar zelfs een Eiffeltoren in Blackpool, denk maar niet dat jullie zo bijzonder zijn in Frankrijk ... ik vond algauw een baantje als kermisattractie: elke avond een *act* als de vrouw zonder hoofd. Het was een truc met spiegeleffecten: je zag alleen mijn lichaam. Maar dat mocht er dan ook zijn, nou en of!'

Ze nam een trek van haar sigaret en hulde Adam in een onwelriekende rookwolk.

'Het was per klojo een shilling om daarbinnen even te mogen koekeloeren. De vrouwen en kinderen stonden zich echt te vergapen. De kinderen dachten dat het allemaal echt was, ze gilden van enthousiasme, maar de vrouwen stonden meer een beetje wantrouwig en kwaadaardig te loeren, ze vroegen zich af wat voor truc het was, ze beweerden dat ik van plastic was (ik draaide expres een beetje met mijn kont, om ze te pesten). De mannen kon het niks verdommen of ik nou wel of niet een hoofd had, als ik maar een paar tieten had (die kon je een beetje vaag zien, je moest er meer naar raden dan dat je ze zag). Nou, die had ik wel! Hier, moet je zien, maar niet te opvallend, hè!'

Ze kijkt snel om zich heen (niemand let op hen), laat Adam in haar decolleté kijken, er waren heel even een paar gemarmerde uitstulpingen zichtbaar. Hij knikt, fronst licht de wenkbrauwen, tuit keurend zijn lippen: duidelijk een man van de wereld. Ja, ja, je maakt me daar wat mee in het Yorkshirse ...

'Klojo's die meer dan een shilling betaalden kregen een privévoorstelling. Bij meer dan zes shilling was beroeren toegestaan. Je hebt geen idee hoeveel mannen ervan dromen om met een vrouw zonder hoofd naar bed te gaan, gewoon te gek voor woorden ... Misschien voelen ze zich dan zekerder. Enfin, ik ben er toen een hele zomer niet met mijn hoofd bij geweest (*I was headless a whole summer*

– klinkt toch anders in het Engels, dacht Adam bij zichzelf, die zich in stilte in simultaan vertalen oefende; wat maar weer bewijst dat er wel degelijk een verschil bestaat tussen vorm en inhoud, al denken sommigen daar anders over). Elke ochtend ging ik naar het strand en dan nam ik een heel lang bad in zee, om al die smerige mannenblikken en vijandige manwijvenblikken van me af te wassen. Op dat strand daar, het was de derde of vierde zomer dat ik in Blackpool was, ben ik mijn tweede man tegengekomen. Zodra hij me zag begon hij te kwijlen. Het is natuurlijk een feit, ik was echt wel een stuk (heb ik je mijn borsten al laten zien? Weet je het zeker?), en ik was toen nog heel jong, ik had de schoonheid van de jeugd. Maar hij was lucht voor me, die lange slungel, totdat ik in de gaten kreeg dat hij altijd naar de boulevard kwam in een open Bentley (heb je weleens een Bentley gezien? Echt waar? Dat zou me verbazen ...). Ik heb het meteen tegen elkaar afgewogen, het voor en het tegen. Mijn besluit stond algauw vast: mijn echtgenoot was een zielige dronkelap met niets dan schulden, een jongleur die één op de twee keer zijn kegels op zijn eigen bek kreeg, we woonden in een rattenhol, en het zag er niet naar uit dat dat gauw zou veranderen, nietwaar? Een jongleur, dat wordt nooit iets ...'

'O, ja! Ik dacht dat een van jullie politici in een circus was begonnen?'

'John Major? Nee, dat was zijn vader, die was trapezeacrobaat, nul die je bent. En hoe vaak moet ik het nog zeggen: shut up.'

Adams gezicht betrekt. Hij heeft er een hekel aan voor een nul te worden uitgemaakt. (Hij noteert in gedachten de volgende gedragsregel: Val de autochtoon nooit in de rede bij een verhaal. Alles registreren, niets zeggen. Hou je gedeisd.)

'Waar was ik? O ja ... Die Bentley gaf de doorslag. Ik neem aan dat je nooit van je leven in een dergelijke wagen hebt gezeten. Zoiets kun jij niet begrijpen. Jij hebt meer een hoofd voor een Ford Escort, of nog erger, een van die naar knoflook stinkende Franse auto's. Kortom, zo gezegd, zo gedaan, ik laat de jongleur vallen, en ik enter Terence.'

'De Bentley?'

'Ja. Steenrijk, maar volslagen maf. Ze zaten hem te plukken waar ze maar konden, zijn intendant, zijn butler, zijn *attorney*, zijn bank ... Het was verschrikkelijk. Ik heb er binnen de kortste keren orde op zaken gesteld. Zodra we getrouwd waren, heb ik geëist dat alles via mij zou lopen. Daarna is het allemaal heel snel gegaan. Ik ben begonnen met investeren. Ik ben goed in zakendoen.'

(Het gaat allemaal veel te snel. Adam probeert die hele lawine aan informatie te onthouden door het allemaal zo'n beetje op een rijtje te zetten: 1) leeft zes maanden in Londen samen met een vrouw, 2) wordt verkracht door een jongleur met wie ze achteraf trouwt, 3) komt een Bentley tegen waarvan ze de eigenaar trouwt. Zegt dat soort avonturen iets over het leven van de Engelse vrouw?)

Cordelia neemt, blik op oneindig, een aantal kleine teugjes van haar wijn.

'Hoe nam hij dat op, die jongleur, toen je hem zo liet zitten?'

'Maar ik heb hem helemaal niet laten zitten, wij zijn

gewoon van elkaar gescheiden, zodat ik met mijn tweede man kon trouwen. Ik heb alleen inderdaad een beetje moeten aandringen voor wat die scheiding betreft.'

'Waar is Terence op dit moment?'

'Terry.'

'Waar zit-ie ergens, Terry, waarom is-ie er vanavond niet?'

'Ach ja ... Die zit ergens in India in de een of andere ashram, bij zijn goeroe. Hij is daar op mijn advies naartoe gegaan om nieuwe inspiratie op te doen. Hij is op zoek naar zichzelf. Hij is al zo'n zevenentwintig jaar naar zichzelf op zoek, en hij heeft zichzelf nog steeds niet gevonden en ik hoop maar dat hij zichzelf ook nooit van zijn leven zal vinden. Ik stuur hem af en toe een beetje geld en dan stuurt hij me een gelukbrengende foto terug van Sai Lik-ahma-Rait Krishna.'

'Kijk maar uit, Cordelia, die magiër gaat hem straks zijn hele fortuin afhandig maken, dat doen ze allemaal, die lui.'

'Wat voor fortuin? Alles staat op mijn naam tegenwoordig. En die goeroe, dat is mijn vriend. Elke keer dat hij hier in de bars van Soho nieuwe inspiratie komt opdoen, zorg ik ervoor dat ik met hem uit eten ga. Hij heeft reusachtig veel humor en een kerel dat het is, hmmmm ...' Ze houdt op met praten, nu is ze in de rol van 'de vrouw in vervoering', of misschien speelt ze wel 'de vrouw die zich ongelooflijke dingen herinnert': ze sluit haar ogen, draait haar hoofd naar opzij zodat Adam haar en profil ziet (maar met een lichte afwijking in zuidzuidwestelijke richting), met een subtiel gebaar laat ze de vingers van haar rechterhand langs haar linkerarm glijden (het valt hem plotseling op dat ze een hele vracht aan gouden en zilveren ringen draagt, de ene nog reusachtiger dan de andere – vreemd dat hij ze al die tijd niet had opgemerkt), ze laat een vage zucht ontsnappen die overgaat in een soort doodsgerochel (eerst hhhhhi en dan hrrrrr), straks vraagt ze nog om het sacrament der stervenden (de kathedraal ligt om de hoek). Maar dan slaat ze haar ogen weer op en komt tot de ontdekking dat hij daar gewoon naast haar zit, zwijgend en vol aandacht, waterdrinker. Ze staart hem aan, verbijsterd en ook met een zekere afschuw, alsof hij iets is wat een kat daar heeft neergelegd.

'Dat is tenminste een echte man', zegt ze met stelligheid, zonder dat duidelijk is op wie ze precies doelt met die belediging.

Ze zit een beetje met haar vork te poeren in het stoffelijk overschot van de vis die Gustave voor haar heeft neergelegd, brengt een minuscuul klein stukje naar haar mond en zit daar zwijgend op te kauwen, verloren in haar rancune. Er komen klanten binnen; eerst een stel waarin Adam twee van zijn collega's aan de universiteit herkent (kijk eens aan, die zijn dus samen?), vervolgens een gezinnetje, meneer, mevrouw en een klein verlegen kijkend meisje. Als ze langs hun tafel komen heeft iedereen een glimlach voor Adam en zijn gezelschap. Hij buigt naar voren terwijl hij zijn hand even naar zijn hartstreek brengt (het lukt hem maar niet van die reflex af te komen, iemand met een geoefend oog ziet meteen dat dat een vreemde snoeshaan is) maar Cruella reageert ternauwernood op al die blijken van beleefdheid. Het enige wat erop duidt dat ze deze eerbewijzen aan haar superioriteit aanvaardt is een lichte rimpeling in haar neus en een flauw gesnuif.

'Nou,' gaat ze door, 'de rest kun je wel raden. Ik ben niet voor niks een kruidenierswinkeldochter ...'

Adam geeft zich er rekenschap van dat deze vrouw toch niet helemaal reddeloos verloren is: ze verloochent haar afkomst tenminste niet. Hoeveel parvenu's doen niet hun uiterste best om te bewijzen dat ze afstammen van Karel de Grote, van Saladin of van de laatste der Abencerages? Terwijl zij het onverstoorbaar heeft over haar winkeliersgenen. Maar misschien is dat nou juist het toppunt van snobisme? Ik was helemaal niks en kijk nu eens: ik ben de Koning van het koper! Ik was een hoerenjong en nu ben ik maarschalk! Inderdaad, zoiets klinkt als een klok. Mijn vader was kroegbaas, nu bezit ik de helft van York!

'Als je maar niet denkt dat ik het allemaal cadeau heb gekregen. Ik heb er hard voor moeten knokken. Het was destijds nog een mannenwereld.'

En daar gaat ze, de ene anekdote na de andere over kredietprovisies, termijnafbetalingen, min of meer louche faillissementen, van het 'continent' ingevoerde goederen, allerlei *bills*, kredietbrieven, overeenkomsten met de fiscus, het is zo'n stortvloed dat Adam algauw de draad van het verhaal kwijtraakt en een beetje wegdroomt, ervoor zorgend af en toe eventjes te knikken om zijn buurvrouw te laten zien dat hij naar haar luistert. (Hij neemt het zich vaag kwalijk: het is nou niet zo'n wetenschappelijke houding, je moet er steeds voor zorgen dat je alles registreert wat de autochtoon aan je onthult; maar hij heeft er een lange dag op zitten en verlangt naar zijn bed.)

Adam weet nog steeds niet waarom deze dame nou zo nodig haar levensverhaal aan hem kwijt wil. Hij beseft wel min of meer vaag dat ze zoiets niet bij zijn collega Edward zou kunnen doen (bovendien heeft ze een peilloze minachting voor Welshmen, zoals ze hem op een keer zal vertellen), noch bij welke Engelsman uit de buurt ook maar. Misschien wel bij Gustave ... Misschien is het essentieel dat hij een buitenlander is, een outsider, iemand die van elders is. Adam beseft dat *hij niets voor haar is.* Letterlijk. Iedereen die ze in York tegenkomt maakt, op de een of andere manier, deel uit van haar *structuur* (hij weet niet of dat het juiste woord is, maar dat is wat hem op dat moment te binnen schiet); ieder menselijk wezen dat ze in York tegenkomt staat, al was het maar potentieel, in een bepaalde relatie tot haar, of het nu een commerciële verhouding is of mensen die haar dankbaar moeten zijn of dat het pure bluf is. Ze kan zich niet helmaal blootgeven aan hem, ze moet voor een zekere vaagheid zorgen, het moet niet duidelijk zijn waar ze precies staat. Maar die gereserveerdheid, die afstandelijkheid, die voortdurende spanning, die kan ze verminderen, enigszins loslaten door zich oeverloos te laten gaan tegenover Adam. *Serghini is nothing.* Daar gaat het om. Serghini is nothing. Hij maakt van geen enkele structuur deel uit (hij vindt het toch wel een geschikt woord). Geen mens weet trouwens wat hij precies doet, hij is er nauwelijks – hij zit een ananassapje in een pub te drinken, tjonge zeg ...

Adam zit af en toe weleens te denken hoe het zou zijn als hij de rollen eens zou omdraaien; stel dat hij voor zijn persoonlijk gebruik eens een Papoea of een Nubiër ergens vandaan zou halen aan wie hij al zijn hersenspinsels kwijt zou kunnen. Helemaal in zijn blootje voor zo'n Papoea, helemaal in zijn blootje voor zo'n Nubiër ... Of bijvoorbeeld, waarom niet, wachten totdat er een Engelsman uit Cambridge of Oxford daar bij hem in de Atlas zou komen aanzetten, met een klein waterbestendig opschrijfboekje in zijn hand: hij zou niet eens de tijd hebben om vragen te stellen, Adam zou hem in de een of andere achterafkroeg aanspreken ('Ik ben de armste man van deze doear'), zou hem overspoelen met informatie, hij zou hem helemaal onderkwijlen, zou hem alles vertellen wat hij niet tegen zijn eigen mensen kon zeggen, aan degenen die zijn eigen wereld vormden, hij zou dag en nacht tegen hem aan praten, de Engelsman zou genoeg stof hebben voor wel tien proefschriften ...

Toen ze klaar waren met eten, duizelde het hem, zo ingespannen had hij zitten luisteren. Gustave zet een klein cognacje voor Cruella neer (ze had het niet eens hoeven te bestellen, merkt ze tevreden op; Adam feliciteert haar met die kleine triomf), ze giet het allemaal met kleine teugjes naar binnen terwijl ze een minachtende blik werpt op de foto van generaal De Gaulle. Ze stelt Adam op de hoogte van het onomstotelijke feit dat Churchill wel even van een andere orde was dan DiGowl. Trouwens, waar was-ie eigenlijk geboren, DiGowl? ('In Lille, dacht ik', antwoordt Adam.) 'Lille?' 'Líllle?' Ze balkt zowat van verontwaardiging. Waar haal je het lef vandaan om die twee met elkaar te vergelijken? *'My goodness,'* krast ze, 'weet je wel waar die geboren is, Churchill? In het paleis van Blenheim, daar hebben tien generaties lang alle Marlboroughs, stuk voor stuk geboren en getogen hertogen, het levenslicht aanschouwd! Blenheim met zijn park waar het een gaan en komen was van 's werelds meest gekroonde hoofden ... En jij hebt het over "Lille"?' Ze kijkt Adam vernietigend aan, trekt een wenkbrauw op, hij zakt door de grond. Hij geeft toe dat hij verslagen is, dat Lille van hem (waar hij nooit een voet heeft gezet) is niks vergeleken bij het paleis van de Marlboroughs. Zijn Lille is niks. Net als hijzelf. Nothing.

Hij buigt het hoofd. Weer een verloren veldslag.

Maar de oorlog is nog niet voorbij ...

Op een discreet teken van Adam komt Gustave met de rekening aansnellen. Cordelia heeft een kleine cigarillo aangestoken en kijkt naar het plafond, ze wacht tot haar galante cavalier heeft betaald, want ze wenst daar niets mee te maken te hebben, met dat soort vulgaire zaken. Hij betaalt dus, en geeft Gustave een fikse fooi (hij heeft een vaag voorgevoel dat die, met dat verklikkershoofd van hem, hem later nog weleens goed van pas zou kunnen komen). Gustave laat niks merken. Hij heeft zich de hele avond onbeleefd gedragen, tenminste elke keer dat hij te maken had met Cordelia's tafel. Hij was de hele tijd in de buurt, probeerde voortdurend iets van het gesprek op te vangen, wierp Adam telkens de meest haatdragende blikken toe. Adam begrijpt niets van die houding. Het stemt hem droef. Een ontdekkingsreiziger zoekt geen vijandschap.

Ze verlieten het restaurant. Adam, als een echte *gentleman*, bood Cordelia aan haar naar huis te vergezellen. Ze liet een soort gekir horen dat, zo veronderstelde hij tenminste, voor 'ja' moest doorgaan. Ze gingen op weg. Ze liep op haar benen te zwaaien: ze had de hele fles wijn soldaat gemaakt, nog afgezien van de aperitiefjes en de cognac die erdoorheen waren gegaan.

Onderweg naar Cordelia's château merkte Adam plotseling dat ze door de een of andere spion werden gevolgd. Hij bleef op een respectabele afstand van hen vandaan, maar elke keer dat zij van trottoir veranderden deed hij hetzelfde, als zij linksaf sloegen, ging hij ook linksaf, wanneer Hare Wreedaardigheid Adam de etalage van een van haar boetieks wilde laten zien en ze even bleven staan, bleef hij prompt ook stilstaan. Het was zo zeker als wat, die man volgde hen. Terwijl ze hier toch niet in Tanger waren, in de tijd van de geheime agenten en de tien consuls.

'Weet je, Cordelia, we worden door een of andere kerel geschaduwd (mooie uitdrukking: *he is shadowing us*). Volgens mij is het een van de zuiplappen in die pub, hij komt me bekend voor.'

Ze draaide zich om, haalde haar schouders op en piepte:

'Ach wat! Het is mijn eerste man, die jongleur, weet je nog wel?'

'Wat? Woont die ook in York? Waarom loopt hij zo achter ons aan?'

'Hij mag toch wel dezelfde weg als wij nemen: hij woont achter in de tuin bij me, in het gereedschappenhok. Hij gaat ook terug naar huis, in zekere zin dan (ze grinnikte gemeen). Hij zat waarschijnlijk in de een of andere pub in de buurt van La Baguette. (Ze zwijgt even.) Misschien maakt hij zich zorgen om me, dat ik 's nachts zomaar met een vreemdeling over straat loop. (Opeens kijkt ze Adam een beetje wantrouwig aan.) Misschien heeft hij wel gelijk, die goeie ouwe Tom, dat-ie jou in de gaten wil houden. Je weet maar nooit.'

Een in een hut bivakkerende gesjochten jongleur, die de brutaliteit heeft doctor Serghini, de trots van de Marokkaanse universiteit, *in de gaten te houden.* Dat gebeurt er als je vreemdeling bent.

Ze komen aan bij de deur van het *mansion.* Adam maakt aanstalten om afscheid te nemen, maar voelt zich geroepen nog een compliment te maken:

'Dat is een heel fraaie deur', zegt hij tegen Corry.

Ze knort bij wijze van bedankje, trekt haar neus op terwijl ze hem vaag aankijkt (onuitgesproken boodschap: Dat klopt, maar kun jij dat wel beoordelen, ventje?). (In werkelijkheid had Adam, in de wilde jaren van zijn jeugd, deuren in de medina's van Azemmour en Essaoeira gezien en soms zelfs opengeduwd die wel duizendmaal fraaier waren dan deze hier; maar hij is van mening dat je als waarnemer nooit datgene wat de inboorling bezit moet vergelijken met wat je zelf in je verre geboorteland hebt achtergelaten.)

Hij zegt met luide stem:

'Tot ziens, Cordelia.'

Maar ze schijnt het niet te hebben gehoord. Ze begint een beneveld soort verhaal af te steken:

'Jij wil dus zomaar hier binnenkomen, hè? Zo! Nou, dat

had je gedroomd! *(Dream on!)* Dacht jij dat Jan en alleman zomaar bij mij over de drempel komt! Wie denk je wel dat je helemaal bent? (Adam heeft er een hekel aan als men dat soort toon tegen hem aanslaat.) Kijk eens aan, wat krijgen we nou! Mijnhéér inviteert zich zomaar bij Cordelia binnen! (Alsjeblieft, hij is opeens derde persoon enkelvoud geworden.) Waarom kom je niet meteen in mijn bibliotheek wonen? Alleen het hout is daar al meer dan honderdduizend pond waard! En dan heb ik het nog niet eens over hoeveel een kilo boek daar waard is! Ik heb eerste drukken van Milton, van Shelley! Manuscripten! Wiegendrukken! En dat wil hier zomaar bij mij binnenkomen! Wil je soms ook meteen naar de derde verdieping, links, naar mijn slaapkamer! Ik bezit een baldakijnbed waarin koninginnen hebben geslapen, en deze kleine *frog* hier denkt dat-ie zich daar een beetje kan gaan liggen verpozen! Zomaar tussen mijn lakens! Op mijn kussens! Wel heb je ooit van je levensdagen! Of wil je soms liever je tenten in mijn keuken opslaan? Ja, hè? Nee, dáár gaat het om, de keuken! Daar heb ik cognac staan die nooit door geen mens is geproefd (Dat is een tautologie, zegt Adam bij zichzelf, maar hij valt haar niet in de rede), champagnes met zulke subtiele bubbeltjes dat je ze niet eens ziet! Ik heb flessen wijn die zo godspeperduur zijn dat er geen sprake van is dat ze ooit zullen opengaan! Trouwens, ik heb in mijn keuken alleen al een Hockney hangen!'

'Tot ziens, Cordelia.'

Opeens wijst ze, zonder enige overgang, en hem wantrouwig aankijkend, naar een klein blauw doosje dat ergens in de muur zit:

'Pas maar op, ik ben gealarmeerd! (Zo zei ze het werkelijk: *I am alarmed.*) Als iemand de deur wil forceren, gaat er meteen in het politiebureau, daarginds op het plein, een lampje aan. Ze weten dan dat het mijn huis is: het is een lampje dat speciaal met mijn huis is verbonden. Ze zijn binnen de twee minuten ter plekke! En dan zul je eens wat meemaken: de commissaris is een vriend van me. Tjonge, wat zullen die je ervan langs geven!'

'Tot ziens, Cordelia.'

'Dat geldt ook voor mijn garage: die is ook *alarmed.* (Ze drukt snel op een knop: de garagedeur, op tien meter afstand van de huisdeur, begint te kantelen.) Kom eens kijken! (Hij gaat kijken.) Je dacht zeker dat ze zomaar eventjes mijn BMW kunnen komen stelen? (Hij ziet een grote zilverkleurige hoes waaronder zich inderdaad iets schijnt te bevinden, naar de vorm te oordelen is het waarschijnlijk een automobiel.) Alle politieagenten van York kennen mijn auto, ze zouden je binnen een uur te pakken hebben!'

'Tot ziens, Cordelia.'

Hij begint weg te lopen, na beleefd de meest onwaarschijnlijke vrouw van Yorkshire te hebben gegroet (hij boog zijn bovenlichaam licht naar voren, en opnieuw kon hij het niet laten zijn hand, met de palm naar binnen, ter hoogte van zijn hartstreek op zijn borst te leggen, ook al ergerde hij zichzelf aan die tic van hem). Ze komt achter hem aan, pakt hem bij zijn arm.

'Ben je donderdagavond vrij?'

'Dat heb ik je al gezegd: ik ben elke avond vrij.'

'Dan nodig ik je bij dezen uit om dan bij me te komen

dineren. Ik hoop dat je beseft wat een eer dat is: er zijn maar weinig mensen die *in my house* worden toegelaten. Hier heb je mijn adres (ze laat een visitekaartje zien, stopt het in zijn hand), aanbellen om 19.30 uur.'

Gebiedende toon: geen tegenspraak.

Waarom geeft ze hem haar adres? vraagt hij zich af. Hij weet toch waar ze woont, hij staat er pal voor. Nou ja, het zal wel door de drank komen, hij gaat er maar weer eens vandoor. Hij heeft nog geen drie stappen gedaan of hij ziet, verstopt onder een straatlantaarn, de jongleur (wie zich probeert te verstoppen onder een brandende straatlantaarn moet of heel dom zijn of heel erg dronken). Een beetje heikel ogenblik, dit. Zou hij net doen alsof hij hem niet heeft gezien en gewoon doorlopen? Ze hebben tenslotte niet officieel met elkaar kennisgemaakt (Serghini: *How do you do?* Tom de jongleur: How do you do?). *Strictu sensu* kennen ze elkaar niet. Maar het lijkt hem een veel beter idee om de stier onvervaard bij de horens te vatten en te kijken of hij van een beginnende aversie een onverwoestbare vriendschap kan maken. Adam heeft hem tenslotte nooit iets misdaan, deze circusacrobaat, en de ander hem ook niet. Hij loopt recht op hem af, met een hartelijke glimlach, en reikt hem met een breed gebaar de vijf.

'*Hullo! You must be Tom!*'

Tom kijkt hem verbijsterd aan.

'Eh ... Mja ... Dat klopt ...'

Hij schudt hem heel slapjes de hand, hij fronst zijn wenkbrauwen.

'Weet je, Tom, Corry heeft me van alles over jou verteld. Wat een leven! Wat een kerel! Ja, Blackpool ... Ik ben vol bewondering voor artiesten. Kan ik je iets te drinken aanbieden?'

Misschien is-ie dronken, Tom, maar hij weet heel goed hoe laat het is.

'Iets te drinken, waar dan? *You must be joking*. Alle pubs zijn gesloten. Maar misschien heb je thuis iets onder de kurk? Bedoel je dat soms? Waar woon je?'

'Op de campus. In Heslington.'

'De camp... Hesl... Krijg de ... *bloody hell*, hou je me voor de gek? Da's een klere-end hier vandaan!'

'Ja, dat weet ik ook wel, ik heb nog een heel eind voor de boeg. Kost me minstens een uur. Als ik onderweg tenminste niet door een stelletje spoken wordt opgevroten.'

'Waarom neem je niet een taxi? *Laten we een taxi nemen.*'

'Onmogelijk: ik heb al mijn geld erdoor gejaagd in La Baguette.'

'Dan is de taxi voor mij, want jij hebt de drank thuis.'

'Eh ... Ik heb eerlijk gezegd niks in huis.'

'Maar waar hebben we het dan helemaal over?'

'Geen idee.'

'Wat deed je daar eigenlijk in La Baguette? Ik zag je naar buiten komen met Corry. Wat moet je van haar?'

'Niks. Zij had daar met me afgesproken.'

De jongleur haalde eens flink zijn neus op, liep een eindje weg van de straatlantaarn om na te denken en kwam weer terug om Adam eens goed te bekijken. (Tjonge, zei deze bij zichzelf, ik probeer hen te observeren, maar in plaats daarvan zijn zij het die mij voortdurend zitten op te nemen.) De ander stond de hele tijd met zijn ogen te knipperen en likte steeds maar met zijn tong langs zijn lippen. Adam zag dat hij erg sjofel gekleed was: een oude ribfluwelen broek, een slecht zittend jasje dat hij waarschijnlijk in een *charity shop* had opgeduikeld, een smerig overhemd, bemodderde schoenen. Zijn veel te lange grijze haren hingen half voor zijn ogen. Nauwelijks te geloven dat deze clochard ooit de echtgenoot was geweest van de vrouw die nu de modekoningin van York was.

'Luister,' zei Adam tegen hem, 'ik wil je echt iets te drinken aanbieden. Maar het is nu veel te laat. Wat vind je van morgen? Ben je vrij, morgenavond?'

'Ik ben altijd vrij: 's ochtends, 's middags en 's avonds. Ik heb zelfs 's nachts niks te doen.'

'In de Blue Bell dan, tegen zeven uur 's avonds?'

'See you there.'

Adam begon richting campus te lopen. Toen hij zich omdraaide zag hij nog net hoe de jongleur via de garage het huis van Hare Wreedaardigheid binnenging.

4

De sociale rol van de advocaat in Yorkshire

De volgende dag trof Adam Tom de jongleur in de Blue Bell aan, maar laatstgenoemde was niet alleen: naast hem op zijn bank zaten twee van zijn vrienden, ieder achter een pint bier. Tom stelde ze met veel plichtplegingen voor, maar of het nu kwam doordat zijn uitspraak die avond gebrekkiger was dan gewoonlijk, of dat Adams oren moeite hadden bepaalde uitheemse klanken thuis te brengen, het lukte hem niet hun namen te onthouden en hij besloot ze dus maar (ten behoeve van zijn kleine waterbestendige opschrijfboekje) voor zichzelf de Filosoof te noemen (vanwege diens uiterlijk) en de *Trainspotter* (vanwege diens windjack in de stijl van dat speciale excentrieke slag Engelsen dat er de merkwaardige hobby van het 'treinen bespieden' op na houdt). Tom had de heren ervan op de hoogte gebracht dat hij Adam op bepaalde voorgaande avonden uitvoerig in gesprek had gezien met Cordelia. Dat intrigeerde ze. Wat was dat voor een figuur? Laten we eens kijken.

Adam besloot open kaart te spelen. Hij legde hun dus

uit dat hij zogenaamd een onderzoek aan de universiteit deed, maar dat hij in werkelijkheid bezig was de Engelsen te bestuderen, een allerinteressantste etnische groep; en dat hij toevallig een paar dagen geleden hier, op exact deze zelfde plek, tegen Cordelia was aangelopen, een prachtexemplaar; dat hij niets kwaads in de zin had, dat hij *nobody* tot de een of andere religie wilde bekeren, dat hij niet van plan was om ooit het resultaat van zijn bevindingen openbaar te maken: het was allemaal uitsluitend voor zijn eigen educatie. Pure weetgierigheid. *Libido sciendi.*

De drie mannen staarden hem aan, in volslagen verbijstering. De Filosoof kwam als eerste weer bij zijn positieven.

'Eens kijken of ik het wel goed begrepen heb. Jij ... (wat ben je ook alweer? *Oh, Moroccan ... How strange ...*), je komt dus uit Tunis ... (*not in Morocco? You are sure?*), je komt dus uit ... ("Rabat", souffleerde Adam hem), uit Rabat om ons te bestuderen? Alsof we een Afrikaanse stam zijn? Alsof we hier wat lopen rond te banjeren in schaamschortjes ...'

'O ja? De Schotten lopen toch ook rond in een soort schaamschortjes?'

'Daar hebben we hier geen moer mee te maken, met de Schotten, we zijn hier in Engeland! Alsof wij hier wat lopen rond te banjeren in schaamschortjes, alsof we hier met een stuk bot door onze neus mekaar een beetje lopen op te vreten zeker? Dat meen je toch niet serieus, hoop ik? Anders ... Tjonge, wat een verwaandheid! Wat een arrogantie! Hij komt ons bestuderen, zegt-ie!'

Adam begon er spijt van te krijgen dat hij deze makker

'de Filosoof' had gedoopt: hij bleek bij nader inzien allesbehalve de wijsheid in pacht te hebben. De Trainspotter zat bij alles wat zijn vriend zei verwoed te knikken. De jongleur keek de *Moroccan* een beetje spottend aan. Adam begon er schoon genoeg van te krijgen, hij voelde het ananasgehalte in zijn bloed stijgen.

'Zeg eens, stelletje clowns, toen jullie voorouders, wat zeg ik, jullie voorouders? Het is allemaal heel kort geleden! Toen jullie voorouders, maar misschien waren jullie het zelf wel, toen jullie in Casablanca van de boot stapten, blèrend en wel van "Waar blijven de kannibalen nou?"; toen jullie bij mijn grootvader binnenliepen om hem zijn schedel op te meten; toen jullie de onbeschaamdheid hadden mijn grootmoeders tatoeages te komen kopiëren om die vervolgens in het een of andere wetenschappelijke tijdschrift te publiceren; toen jullie met z'n allen de dorpen van de Atlas binnendrongen om daar alle gesprekken die jullie konden opvangen, zelfs de intiemste, gauw in je boekjes op te kalken; toen jullie allerlei heel ingewikkelde schema's bedachten om aan te tonen dat mijn voorouders alleen maar een stelletje robots waren die aan wetten gehoorzaamden die ze zelf niet eens begrepen; toen jullie het stamhoofd een paar prullen in zijn hand stopten en er zelf stiekem met alle heilige relikwieën vandoor gingen (ik heb tenminste niks meegejat uit de kathedraal, als je dat maar weet); kortom, stelletje rosbiefvreters dat je bent, toen jullie dingen deden die tien keer erger zijn dan wat ik hier doe, was dat ook niet een beetje verwaand? Een beetje arrogant?'

De Trainspotter klopte hem op zijn onderarm.

'Kom, kom, maak je niet zo druk, joh. We zitten hier

toch gezellig een beetje te kletsen?'

De Filosoof zat met zijn vingers in zijn baard te woelen. Hij had iets verzoenends gekregen.

'Inderdaad, inderdaad ja', zei hij tegen Adam. 'Je hebt gelijk, we zijn die stammen daar gaan bestuderen zonder eerst hun toestemming te vragen. En nou krijgen we een koekje van eigen deeg. Best hoor, van mij mag je, ga je gang maar met je onderzoek. Maar ik vind wel dat je ons dan iets van je bevindingen moet vertellen. Wat vind je nou kenmerkend voor dit land, en wat voor rare eigenschappen hebben we?'

Adam dacht een ogenblik na en toen antwoordde hij:

'Weten jullie wat me vooral zo verbaast in dit land, mijne heren British: dat is dat alles hier anders is dan het lijkt. Het is hier één grote schijnvertoning, het is allemaal even vaag, het is één groot eufemisme.'

'Poeh, dat zou me verbazen' (de Trainspotter).

'Het is hier net als overal' (de Filosoof).

'*Fuck off*' (de jongleur, die een kwaaie dronk leek te krijgen).

'Nee hoor, het is echt zo. Moeten jullie maar eens horen wat ik pas heb meegemaakt, het was afgelopen woensdag. Ik had toen een afspraak met een advocaat. De reden doet er niet toe ...'

'Juist wel, vertel op.'

Adam vertelt over zijn bezoek aan de advocaat

Goed, het gaat om een pensioenskwestie. *Pension*. Oké? In feite kan dat soort dingen me geen zier schelen – ik kan toch net zo goed morgen het hoekje omgaan? – maar het is meer een principekwestie voor me. Als ik ergens recht op heb, dan heb ik daar recht op en mooi dat niemand me dat kan komen afpakken! Om kort te gaan, ik wilde dat een advocaat iets voor me gedaan zou krijgen bij de universiteit: ik weet niet precies waarom, maar ze hadden me daarginds niet willen laten inschrijven bij de instelling die over de pensioenen gaat. Misschien was ik in hun ogen wel een rare buitenlandse snoeshaan die vooral niet te lang in hun land mocht blijven rondhangen, en zeker niet tot aan het einde zijner dagen tussen de Engelsen mocht verblijven? Hoe dan ook, ik ga op zoek naar een goede advocaat, mijn nieuwe vriend Daniel Wilson geeft me het telefoonnummer van iemand die hij goed kent – hij had het bij zich – ik maak een afspraak met die figuur en op de afgesproken dag bel ik aan, tegen acht uur 's avonds.

'Tot hier toe is er niks bijzonders aan de hand', zegt de Filosoof met nadruk. 'Behalve het late uur.'

'Juist. Maar daar gaat de deur al open – het is op de begane grond – en daar staat de advocaat. Het is een knappe man van een jaar of vijftig, een rijzige, slanke verschijning, met grijsblauwe ogen. Hij heeft een uitnodigende lach, zijn tanden zijn flitsend wit. Wat me overigens wel opvalt is dat hij spiernaakt is, afgezien van een zwartkanten jarretellengordeltje dat hem een zekere elegantie geeft, verder draagt hij eveneens zwarte kousen en een luchtige babydoll in verschillende tinten grijs, die niets verhult van zijn behaarde tors noch van zijn, hoe heet dat ook al weer? o ja: *belly button*. Genoemde navel is trouwens zeer welgeschapen: volmaakt rond, steekt niet uit, zit ook niet te diep. Aan zijn hals hangt een ketting met een klein gouden kruisje. Zoals alle advocaten in films draagt de mijne een pruik, maar het is wel een heel grote blonde krullenbos van een pruik. Dit soort zie je trouwens niet vaak in films (daar zijn ze meestal meer grijs of wit, in ieder geval altijd gepoederd en nogal sober van stijl), maar misschien is dit wel een nieuwe mode die eigen is aan York of is het soms iets wat alleen gedragen wordt bij privéconsultaties? Dat waren zo de gedachten die – vaag – door me heengingen terwijl ik de welverzorgde hand schud die hij naar me uitsteekt. Hij doet een stapje naar achter om me binnen te laten en ik verdrink bijna in de golf parfum die hij om zich heen verspreidt. Hij gaat me voor naar de salon, wijst me een plek op de sofa en vraagt of ik een kopje koffie wil.'

'Heb je het adres van die advocaat?' fluistert de Trainspotter in Adams oor, maar die doet net alsof hij niets hoort.

'Een paar minuten later komt de advocaat terug met twee kopjes koffie. Hij biedt me er een aan en nestelt zich in een fauteuil tegenover me terwijl hij zijn benen hoog over elkaar heen slaat. Hij vraagt me met een beetje een ondeugend gezicht: "En, wat kan ik doen voor u?"'

'Zei hij dat letterlijk zo?' vroeg de Filosoof streng.

'Letterlijk: *What can I do for you?* Ik begin hem mijn pensioenkwestie uit te leggen. Het is echt vrij ingewikkeld: de wetsregels in Groot-Brittannië zijn op zich al vrij merkwaardig, maar daar komen dan ook nog eens de Europese richtlijnen bij – in feite zijn ze in veel opzichten in strijd met elkaar en spreken elkaar zelfs direct tegen. Ben ik echt de eerste die dat tot zijn schade moet constateren? Dat kan ik bijna niet geloven, want ik heb tot nu toe in dit soort dingen altijd een redelijk gemiddelde gescoord, zonder ooit bij de uitblinkers te horen, maar ook niet bij de allerergste totallossgevallen ... Maar opeens hou ik mijn mond: de advocaat schijnt het allemaal knap vervelend te vinden. Zijn glimlach is verdwenen en hij zit me broeierig aan te staren. Hij maakt gebruik van mijn stilzwijgen en vraagt me waar ik vandaan kom, en wat zo mijn voorkeuren zijn in het leven. Die laatste vraag verbaast me een beetje: ik kan me voorstellen dat een attorney er behoefte aan heeft zijn cliënt wat beter te leren kennen om hem naar behoren te kunnen verdedigen, maar wat zou ik hem op dit punt moeten vertellen? Dat ik van lezen hou? Dat ik nectarines lekkerder vind dan perziken? Dat mauve mijn lievelingskleur is? De eerste vraag daarentegen (waar kom je vandaan?) kan ik makkelijk beantwoorden. Ik zal hem de waarheid, de gehele waarheid, en niets dan de waarheid vertellen! *Ik kom, Your Honour, uit de Atlas, na een omweg via Parijs*. De advocaat lijkt opnieuw geïnteresseerd.

"Ja, dat zei Daniel ook al tegen me. De Maghreb ..."

"Heeft hij het niet met u over mijn probleem gehad?"

"Wat voor een probleem? Hebt u dan moeilijkheden?"

"Ja, dat probeer ik u toch uit te leggen. Die kwestie met mijn pensioen, de universiteit ..."

Zijn gezicht betrok opnieuw. Hij pulkte gedachteloos aan een schouderbandje van zijn babydoll, verschikte een van zijn jarretellen en ging er eens goed voor zitten om naar me te luisteren. Ik begon weer van voren af aan.

"Toen ik een paar maanden geleden mijn contract tekende, heb ik niet gelet op een formulier waarin stond dat ik afstand deed van mijn recht op een pensioen ...”

Hij onderdrukte een geeuw. Ik ging door:

“Er was me in feite geen enkele uitleg verschaft over dat formulier. Toen ik me rekenschap gaf van mijn vergissing, wilde ik die weer rechtzetten, maar ik kreeg te horen dat ik daar te laat mee was. Nu lijkt het me dat het hier om een dusdanig belangrijke beslissing gaat dat zoiets toch terug te draaien zou moeten zijn ...”

Hij valt me in de rede.

“Houdt u van muziek?”

Zonder mijn antwoord af te wachten, strekte hij zijn lange benen, kwam met een elegante beweging overeind en, de kamer doorwervelend kwam hij tot stilstand voor een meubel dat op het eerste gezicht een goede duizend cd’s bevatte (de advocaat scheen daarentegen niet in het bezit te zijn van boeken, wat altijd een beetje verdacht is, maar misschien had hij die in een andere kamer ondergebracht). Hij kromde subtiel een wijsvinger naar me.

“Komt u maar iets uitzoeken.”

Ik kwam een beetje beduusd overeind en ging kijken wat dat meubel zoal bevatte. De advocaat stelde zich achter me op. Ik kon zijn adem in mijn nek ruiken (ik heb een hekel aan dat soort dingen). Het was de geur van koffie vermengd met de parfum die ik had geroken toen ik zojuist langs hem heen zijn huis was binnengegaan. Ik wilde zo snel mogelijk een eind maken aan deze onprettige situatie. Ik pakte dus op goed geluk de eerste de beste cd. Hij nam hem van me over.

“Ah, Scarlatti ... Merkwaardige keus voor een Arabier.

Maar ach, waarom ook nict?"

We betrokken weer onze stellingen in de salon, hij in zijn fauteuil, ik op de sofa. Uit onzichtbare geluidsboxen klonk klaterende klavecimbelmuziek. Met enige stemverheffing vatte ik de draad van mijn verhandeling over mijn pensioensperikelen weer op. Hij hield zijn ogen gesloten, zijn mond was half geopend, alsof hij in een staat van extase of epectase verkeerde. Hij leek wel de Heilige Theresa, dacht ik bij mezelf. Hoe dan ook, de muziek kalmeert hem; maar, weer een blik werpend op zijn jarretellengordeltje, schaamde ik me opeens voor die vergelijking van me.'

'O ja? Weet jij veel wat al die heiligen onder hun habijt dragen?' knorde de Filosoof.

De Trainspotter maakte gebruik van de interruptie om Adam te vragen waarom hij toch was doorgegaan met de consultatie terwijl die advocaat daar zomaar voor hem stond, gekleed als een *lady* – en wat voor eentje! Waarom had hij hem niet gevraagd waar dat allemaal op sloeg, of hij had toch minstens van hem horen te verlangen – de klant is tenslotte koning – dat hij zich op een andere manier zou vermommen – als advocaat, *for instance*?

Adam haalde zijn schouders op. Wat moest hij daar nou op antwoorden? Het was allemaal veel te ingewikkeld ...

'Dat heb ik me ook wel af en toe zitten afvragen, sinds die woensdag. En het enige antwoord dat ik erop heb gevonden, is dit: hij was daar bij hem thuis en ik was de genodigde, de gast, de vreemdeling. Op het ogenblik dat ik het Kanaal overstak, dat ik Groot-Brittannië betrad, had ik een stilzwijgende overeenkomst met de autochtoon gesloten: hij zou me dulden, zolang als ik maar geen waardeoordeel over hem velde. Wanneer ik iets niet begreep, dan lag dat aan mij, niet aan hem. Wanneer ik in een *bed and breakfast* bij het ochtendkrieken een portie in lauw water toebereide, naar niks smakende champignons en een paar in een onbeschrijflijk soort saus drijvende bruine bonen geserveerd kreeg, dan ging ik zowat over m'n nek, maar intussen waren jullie het ... ik bedoel, het waren die champignons en die bonen die gelijk hadden en mijn zich omdraaiende maag die ongelijk had.'

Adam aarzelde even en ging toen door.

'Het enige waarover ik me een mening permitteer zijn algemene principes, dat wat uitstijgt boven het nationale en etnische niveau, dat wat de mens heel in het algemeen betreft. Wreedheid bijvoorbeeld is iets onaanvaardbaars ...'

De Filosoof knorde iets waardoor Adam weer met zijn benen op de grond kwam:

'Hou toch op met die zweverige praatjes ... Ga liever door met je verhaal, het begon net interessant te worden.'

'Waar was ik ook alweer? O ja ... Ik had het dus weer over mijn pensioen, onder begeleiding van Scarlatti, terwijl mijn advocaat intussen met gesloten ogen de maat zat aan te geven. Toen ik ten slotte uitverteld was, hield ik mijn mond. Ik kreeg de indruk dat de man van de wet zat te peinzen over mijn geval. Toen de muziek ophield, ging hij opnieuw naar zijn keuken om koffie te halen. Er ging een uur voorbij. Vervolgens kregen we, zoals dat in de toneelwereld heet, weer dezelfde poppenkast: muziek, koffiepauze, een paar overbodige vragen, weer muziek ... Er kwam een lichte sluimer over me.

Ik ben toen heel even in slaap gevallen, denk ik. Ik kreeg de volgende vreemde droom: ik was in een rechtszaal en net op het moment dat de edelachtbare rechter me gaat veroordelen tot onmiddellijke deportatie – voor welk misdrijf is niet duidelijk – komt opeens zijn assessor overeind, springt op een tafel en begint een woeste buikdans uit te voeren. Iedereen doet mee – behalve ik – het komt tot een algemene striptease, vervolgens neemt de rechter – spiernaakt – weer plaats en spreekt me vrij. Oef.

Ik doe mijn ogen weer open, herinner me wat er zojuist was voorgevallen – niet zo veel in feite, alleen Scarlatti en de koffie – en raadpleegde mijn horloge. Het begon laat te worden. Ik maakte aanstalten om overeind te komen. Mijn attorney verroerde zich niet. Hij wierp een vaag ontstelde blik op me. Ik ging staan en vroeg hem, op gedempte toon:

"Wat moet ik doen? Voor dat pensioen van me?"

"Hè? Wat? Nou, niks, *nothing:* je kunt er niks aan doen. Je moet wachten totdat je contract afloopt, want ik neem aan dat een eerste engagement bij een universiteit nooit voor onbepaalde duur is. Dat is hier toch ook het geval, nietwaar? (Ik knik instemmend.) Als je dan opnieuw een overeenkomst met ze sluit, laat je de clausule in kwestie gewoon veranderen. Heel simpel."

Hij begeleidde me naar de deur, met een hand zijn babydoll bijeenhoudend op zijn behaarde borstkas. Bij de deur gekomen, vroeg ik hem:

"Neem me niet kwalijk ... Maar hoeveel ben ik u schuldig? Voor het consult?"

Hij staarde me verbaasd aan. Ik herhaalde:

"How much?"

"Waarvoor wilt u me betalen", schreeuwde hij plotseling midden in mijn gezicht (hij was opeens lang zo knap niet meer om te zien). "We hebben toch niks gedaan!"

En hij sloeg de deur met een klap dicht.

Ik had al de door mij gewenste informatie gekregen, maar hij vroeg geen honorarium. Wie het snapt mag het zeggen.'

Adam hield op met praten. De drie Engelsen zaten hem aan te staren, stomverbaasd. De Trainspotter ging het eerst in de aanval:

'Misschien had die advocaat wel twee telefoonnummers? En had je vriend Wilson je het verkeerde nummer gegeven?'

'Snap ik niet. Waarom zou hij een goed en een verkeerd telefoonnummer moeten hebben?'

De Filosoof richtte een priemende wijsvinger op Adams borstkas.

'Meneer, u bent werkelijk zonder enige twijfel de onnozelste hals die ik ooit heb meegemaakt. Maar dat is vreemd genoeg helemaal niet erg. Wist u bijvoorbeeld dat Freud een geniale halvegare was? En dat de grootste onbenullen, die maar één enkel idee hadden, maar dan wel een Ideefixe! uiteindelijk in Stockholm terecht zijn gekomen? Volhouden maar, ga maar flink door met dat stompzinnige onderzoek naar Yorkshire van u, u zult zien, straks valt u in de prijzen! Maar komt u alstublieft niet in *onze pub* ons met een onnozel gezicht vertellen dat wij zo vreemd zijn. Het komt door uw ongelooflijke lompheid dat wij vreemd lijken. Bij nader inzien, ik geloof dat ik die advocaat van u wel ken: ik heb vroeger weleens met hem te maken gehad (voor een zaak van geen belang (mijn echtscheiding destijds)). Maar ik zorg er wel voor dat ik niet op de onmogelijkste uren bij hem op de stoep sta. U hebt hem lastiggevallen, die man, u hebt een zeer veelbelovend contact volledig in het honderd laten lopen.'

Hij nam een ferme slok bier.

'Want u moet één ding goed begrijpen: die man is alleen van negen uur 's ochtends tot vijf uur 's middags, en van maandag tot vrijdag, praktiserend advocaat. De rest van de tijd heeft hij het recht om te doen wat hij wil. U moet dat goed tot u laten doordringen, dan pas zult u begrijpen hoe een man in Yorkshire in elkaar zit. En ook in het hele Westen!'

Bij deze tirade, die hem waarschijnlijk totaal boven zijn pet ging, barstte de Trainspotter los in een luidruchtig applaus. De Filosoof tankte opnieuw een ferme slok bier bij en ging door:

'Maar één essentieel verschil zult u zeker opmerken als u kijkt naar wat ónze etnologen van hun omzwervingen mee terugbrengen: al hun notities vormen een samenhangend systeem, alles heeft betekenis, alles heeft zijn eigen plaats in het grote Geheel. U houdt zich daarentegen alleen maar bezig met uitzonderlijke gevallen, die niets te betekenen hebben. Als we u mogen geloven, bent u bij een advocaat aan huis geweest die u als een opgedirkte bimbo heeft ontvangen, maar zoiets overkomt je bij één op de honderd, één op de duizend advocaten. En wat dan nog? Wat kunt u daar nu ooit uit afleiden voor wat betreft het rechtssysteem hier te lande, voor wat betreft de scheiding der machten, de segmentale structuur van de Engelse maatschappij? Niets! Nothing! Straks gaat u deze anekdote tot in het einde der tijden aan iedereen rondvertellen, maar denkt u werkelijk dat u daardoor tot een beter begrip van Engeland zult komen? Het ligt hoogstwaarschijnlijk niet eens aan u persoonlijk: nee, het gaat hier eerder om de aard van onze respectievelijke maatschappijen. Sommige maatschappijen lenen zich nu eenmaal beter tot systematische bestudering dan andere. De ónze is echter ten enenmale ongeschikt als etnologisch studieobject!'

'Absoluut', beaamde de Trainspotter op goed geluk.

'Ik begrijp het niet helemaal', zei Adam vals, in de hoop dat de Filosoof zelf ook niet helemaal begreep waar hij het over had en dat hij zijn stelling niet goed zou kunnen toelichten.

Maar de Aristoteles der pubs bleek juist in topvorm te zijn.

'Het is toch echt heel simpel. Neem bijvoorbeeld een indianenstam ergens midden in de rimboe van het Amazonegebied, een stam die nog in het stenen tijdperk leeft ...'

'... of in het tijdperk van het bot', viel de Trainspotter hem in de rede.

'Laten we zeggen in het stenen tijdperk ...'

'Maar heb je daar wel stenen, in die rimboe van het Amazonegebied?'

'Maakt niet uit: het is gewoon bij wijze van spreken. Neem dus de een of andere primitieve stam. Stel nu, er is een advocaat in die stam ...'

Nu was het Adams beurt om zijn opponent in de rede te vallen.

'Nou moet u niet overdrijven. Ik kan een heel eind meegaan met allerlei veronderstellingen, vooral omdat ik niet helemaal begrijp waar u naartoe wilt, maar dit gaat echt te ver, voor zover ik weet zijn de Nambikwara's en de Bororo's niet bekend met enig rechtssysteem, en bestaan er daarginds ook geen bepruikte rechters of advocaten.'

De Filosoof haalde zijn schouders op.

'Och, het is alleen maar een stijlfiguur. Goed, geen advocaat dan, maar laten we zeggen dat het iemand is met een bepaalde status, een *medicine man* of een tovenaar. Wat ik wil zeggen is dit: stel nu eens dat een westerling, die daar te midden van die stam zo'n man zit te observeren, opeens merkt dat die tovenaar zich tot geisha ontpopt ...'

'Die heb je in Japan, geisha's', viel de Trainspotter hem in de rede, glimmend van trots dat hij een duit in het zakje kon doen.

De Filosoof keurde hem geen blik waardig.

'... dat die tovenaar zich dus elke avond tot geisha ontpopt, nou, dan zal hij algauw doorhebben dat dat niet een persoonlijke gril is van die medicine man, een of andere privéperversie van hem, maar dat dat nu eenmaal deel uitmaakt van het systeem daar. Sterker nog: hij zal uiteindelijk tot de conclusie komen dat de nachtelijke metamorfose van die bevederde wilde noodzákelijk is, dat het een economische functie in die stam heeft. (Hij onderbrak zijn betoog een ogenblik en keek Adam uitdagend aan.) Waarom? Omdat die tovenaar slechts een onderdeel is van een raderwerk (*a cog*), net als alle andere leden van zijn stam. Maar wij hier in het Westen zijn geen onderdelen van een *cog*, wij zijn *individuen*. Wat wij in onze vrije tijd doen (Jullie zitten in de pub of voor de televisie, dacht Adam bij zichzelf, maar hij hield zijn mond), ja zelfs wat we van negen tot vijf uitvoeren, daaruit kun je niets afleiden voor wat het collectief betreft. Dat is de reden dat u ons niet kunt observeren.'

Hij (her)tankte opnieuw een ferme slok bier onder de bewonderende blik van de Trainspotter.

'Trouwens, als we het er toch over hebben, wat zijn eigenlijk,' riep hij opeens gebiedend, 'wat zijn eigenlijk uw kwalificaties? Want het is natuurlijk allemaal goed en wel dat u uit uw verre Morocco hier onze akkerlanden en onze vrouwen komt verkennen, en onze diepere bestaansredenen komt peilen, maar bent u wel een echte etnoloog?'

En hup, hij maakte er weer eentje soldaat, hij commandeerde zo langzamerhand over een heel regiment lege glazen. Hij vervolgde:

'Want hoe zit dat met die objectiviteit? Hoe kunt u bewijzen dat u ons ook echt als óns ziet? Wij bekeken indertijd de inboorling in zijn woud of uw grootvader in zijn bergen zonder dat we er iets van begrepen, in het begin. We snapten er geen snars van. Een vage figuur in een djellaba. Iets totaal onduidelijks. *Who is this guy?* Kom op, we beginnen van nul af aan! Maar hoe kunt u nou ooit van uw leven objectief zijn? U zit hier in het Engels met ons te praten, krijgt van de universiteit een salaris uitbetaald (van mijn belastingcenten *by the way*), u hebt waarschijnlijk al onze klassieken gelezen en u bent op zijn Europees gekleed (al loopt u wel een paar modes achter, als ik zo eerlijk mag zijn). In feite bent u *bijna* net als wij.'

(Dat 'bijna' ergerde Adam. Hij had graag dat men hem ergens wel accepteerde of helemaal niet, maar wat wilde nou zoiets als 'bijna' zeggen? Het was net als wanneer je bij een nachtclub buiten met de uitsmijter staat te onderhandelen en die zegt tegen je dat je bijna naar binnen mag. Wat betekent dat nou helemaal? Dat hij daar soms met één voet binnen mocht staan maar met de andere voet buiten moest blijven? Niet zo praktisch voor als je wilt dansen, vond hij. Of betekende het soms dat hij daar voor eeuwig en altijd voor de deur moest blijven staan, zonder naar binnen te mogen of weg te kunnen gaan? Wat een nachtmerrie.)

Hij kraste er dus op schrille toon tegenin:

'Objectiviteit, hè? Willen jullie bewijzen?'

'Ja', donderden ze alle drie tegelijk.

'Oké dan, ik drink nooit bier, ik snap niks van cricket, en ik geef geen zak om Churchill!'

Dat laatste was eruit voor-ie het wist, hij zei het echt niet met opzet, maar het gaf wel aan hoe hij er in zijn hart over dacht: hij had helemaal niets tegen die man die door de Engelsen, zo scheen het, werd beschouwd als de allerbelangrijkste pief van hun geschiedenis en die altijd naar Marrakesj was gekomen om daar te aquarelleren – nee echt, hij had niets tegen die man.

Er viel een diepe stilte. Ze keken Adam allemaal diep geschokt aan, hij was de ultieme vreemdeling geworden, een marsmannetje, iemand van heel ver weg.

'Meneer,' zei de Filosoof tegen hem, 'u bent een idioot (u vindt het toch wel goed dat ik u een idioot noem?), maar u bent wel, in zekere zin, de ideale observator. U wordt totaal niet gehinderd door enige vorm van respect. Maar, ik zeg het nogmaals, als ik u was zou ik mijn talenten elders gaan uitoefenen: wij zijn hier niet vatbaar voor *etnologisering.*'

Hij stak zijn hand uit naar de Marokkaan. De Trainspotter deed hetzelfde, een brede glimlach verlichtte zijn blijde imbecielengezicht. De jongleur, die vanwege zijn benevelde staat niet aan de conversatie had kunnen deelnemen, sloeg hem onzacht op zijn schouder. Adam zag zijn kans schoon en fluisterde hem snel toe:

'Zien we elkaar morgen?'

Die was nog niet van hem af. De jongleur knikte instemmend. Adam kreeg een euforisch gevoel over zich, het was alsof hij niets dan vrienden had in Yorkshire.

De barman brulde:

'Last orders!'

5

Ik ben mijn wok en mijn Hockney

In de loop van de volgende weken is het vaste prik: elke avond, na eerst zijn computer hartgrondig te hebben vervloekt – de econometrie begint hem zijn neus uit te komen – sluit Adam het ding met een paar vlugge klikken af en gaat dan op weg naar York, naar de pub waar zijn vrienden, zijn proefkonijnen en Cruella op hem wachten. Hij vergeet nooit zijn kleine waterbestendige opschrijfboekje mee te nemen (waarom waterbestendig? Omdat het hier heel vaak regent, en omdat er eens een moment komt dat hij weer het Kanaal zal moeten oversteken: stel je voor, Livingstone noteerde toch ook niet alles wat hij zag op velletjes dundrukpapier die bij de minste niesbui in het niets zouden oplossen?).

Eén ding begint hem in de Blue Bell na verloop van enige tijd toch wel op te vallen. Alle mannen doen vreselijk hun best voor Cordelia, ze vullen haar glas bij, kopen sigaretten voor haar als ze er geen meer heeft. En zelf blijft ze steeds maar op haar bankje zitten, kaarsrecht, hooghartig, onverstoorbaar, als een negerkoning die de hulde van zijn stam in ontvangst neemt.

Wie zijn die mannen? Waar hopen ze op?

'Ze hopen dat ze met me mogen trouwen, die idioten.'

Dat is wat ze hem op een avond proestend van het lachen vertelde, haar gezicht vol verachting samentrekkend tot een rimpelig masker. Ze legt hem uit dat haar geld een onweerstaanbare aantrekkingskracht op de werklozen van de stad uitoefent, ook op degenen die hard moeten werken voor de kost en dromen van een flinke bom duiten om eens lekker te kunnen uitrusten – háár bom duiten bijvoorbeeld. Maar zij is niet op haar achterhoofd gevallen, zij is niet van gisteren, ha, wat dacht je, haar hou je niet voor de gek, ja, malle Henkie zeker, enz. Dat zijn zo de bedroevende clichés waarop ze Adam al kirrend en proestend trakteert, maar hij vindt dat er toch iets niet helemaal klopt. Hij zegt tegen haar: 'Maar stel nou eens dat er iemand komt die enkel en alleen om haar zou geven? Stel nou eens dat iemand met haar zou willen trouwen enkel en alleen om die grijns van haar, of zelfs om dat ranzige luchtje van haar, en niet om haar diamanten? Loopt ze niet het risico dat ze de grote liefde van haar leven misloopt als ze steeds maar denkt dat iedereen achter haar geldkist aan zit?' Adams hypothese brengt haar in de war. Stel je eens voor ... Een dergelijk geluk ... Lieve god ... Maar nee, onzin. Ze pareert zijn argument met een redenering die hij op dat moment niet kan weerleggen, maar waarvan hij overtuigd is dat er een denkfout in zit.

'Ik, Cordelia,' legt ze hem uit, 'ben iemand die zich verwaardigt om met jou, een kleine Moroccan van niks, te praten, maar ik ben nog veel meer dan dat. Ik ben namelijk ook alles wat ik bezit, want wat ik bezit vertegenwoordigt datgene wat ik eens vroeger ben geweest om dit alles uit de grond te kunnen stampen, te kunnen ontwikkelen of te kunnen kopen. Ik bén mijn boetieks en mijn pub in Harrogate en mijn woonhuis. Ik ben mijn BMW 7-serie (je hebt hem gezien onder zijn hoes) en mijn wok en mijn tuinen. Ik ben mijn Hockney (in feite had ze er meer dan een, ze hingen her en der aan de muren in haar huis; er was er zelfs eentje in de keuken, dat had ze hem tenminste verteld op die nacht dat hij de jongleur voor het eerst was tegengekomen).'

Ze zwijgt en neemt een trekje van haar sigaret.

(Er schijnen andere, aan de Engelsen verwante, stammen te bestaan die dit type redenering tot zijn uiterste consequentie hebben doorgevoerd: de leden van die stam vertellen je als ze zich aan je voorstellen precies hoeveel geld ze bezitten, tot op de dollar nauwkeurig, en delen je pas daarna mee hoe ze heten en tot welke totem ze behoren en hoeveel kinderen ze rijk zijn. Dat heet dan dat ze zo- en zoveel wégen.)

Opeens begrijpt Adam waarom ze zich destijds had voorgesteld met de woorden: 'Ik ben de rijkste vrouw van Yorkshire.'

Diepverslagen buigt de Moroccan van niets, van echt helemaal niets nu hij er opeens aan denkt (het dringt tot hem door dat hij werkelijk helemaal nothing bezit), het hoofd. Wat had hij ook kunnen antwoorden? Ik ben mijn balpen ... Ik ben mijn sokken ... Zelfs zijn computer is eigendom van de universiteit.

De enige in de pub die niet aan Cruella's voeten ligt, is Tom, haar ex-echtgenoot. Hij doet helemaal niks om haar ter wille te zijn. Als ze eens een keer een grapje afscheidt (meestal een genadeloze steek onder water tegen een klant), barst iedereen in lachen uit, behalve hij. Wanneer ze haar ideeën spuit over de toestand in de wereld (ze behoort tot het soort mensen die een oplossing hebben voor alle problemen van de hele planeet, maar die vreemd genoeg nooit door enig staatshoofd worden geraadpleegd), dan luistert iedereen vol aandacht, behalve hij: meestal zit hij net met een tandenstoker zijn gebit te reinigen, of te geeuwen of te turen naar iets op het plafond. Adam heeft het gevoel dat die man gevaarlijk leeft. Ze kan hem niet echt verstoten (dat heeft ze al gedaan), maar ze zou hem nog wel uit zijn hut achter in haar tuin kunnen gooien. Ze zou zijn levensmiddelentoevoer kunnen stoppen (de Filosoof heeft Adam onthuld dat de jongleur leeft van een toelage die van zijn ex-vrouw afkomstig is). Waar zou hij het moeten zoeken, wat zou hij moeten doen, die arme gebroken, aan de drank verslaafde man? Zou hij eindigen als een soort bedelaar, met als enig bezit een paar plastic boodschappentassen?

Op een avond, toen Adam net aan dat droeve scenario zat te denken, bleef zijn blik toevallig op Cruella rusten toen zij even terloops naar de jongleur zat te kijken. En, het was maar heel even, niet meer dan een fractie van een seconde – hij dacht dat hij hallucineerde – maar hij zag ... ja hij zag plotseling iets van téderheid in die blik van haar. Hij kon er niet over uit. Een dergelijk gevoel in de blik van het allergemeenste kreng van de hele stad! Het had maar heel kort geduurd, maar nee, hij had het niet gedroomd. Zelfs de verbitterde trek in de hoek van haar mond had zich verzacht. En nu begreep Adam dat hij zich af en toe wel een onbeleefdheid kon permitteren, de jongleur, ze zou hem toch nooit uit haar tuin wegjagen. En hij begreep ook opeens – de ananassap scherpte duidelijk zijn geest – waarom: hij was de enige man van wie ze zeker wist dat hij haar om haarzelf had bemind (wat waarschijnlijk ook het geval was met die Terry van de Bentley – maar die zat ver weg). Toch een beetje vreemd: ze had destijds toch tegen Adam beweerd dat die *love story* met een verkrachting was begonnen? Maar misschien was dat wel haar manier om te kennen te geven dat dat de enige manier was waarop je haar kon veroveren (tjonge zeg, dat ananassapje had me daar toch een werking ...); en stel dat dat nu eens een kleine vingerwijzing was?

De daarop volgende zaterdag gaat Adam, vastbesloten zijn onderzoek voort te zetten, op weg naar Corry's luxeboetiekje – ze heeft hem uitgenodigd een kijkje te komen nemen. Hij zag er op zijn paasbest uit: gepommadeerde haren, marmergladgeschoren kaken, zijn mooiste jasje aan. Wat niet wegneemt dat de Verschrikkelijke de jongeman met een misprijzende blik verwelkomt:

'Voor een Fransman (nee maar!) heb je echt totaal geen smaak. Wat is dat nou voor een klof? En wat heb je voor boerenklompen aan je voeten – heb je die soms van een clochard gejat? En dat touwtje om je nek? Noem je dat een das?'

Adam heeft een hekel aan mensen die hem vertellen dat hij geen enkele smaak heeft.

En helemaal als het van iemand komt die La Baguette zo'n 'authentieke' gelegenheid vindt! Kruideniersmeid! Jongleurstroel! Goeroe*crumpet*! Hij valt op slag uit zijn etnologenrol (je reinste nepact) en begint – een fatale fout – tegen Cruella tekeer te gaan.

'Luister eens, Cordelia, ik wil niet vervelend zijn, vooral niet hier (gebaar om zich heen), midden tussen al die schitterende lorren hier, waarvan ik hoop dat je ze allemaal met een flinke winstmarge zult kunnen verkopen; maar alles wat met mode te maken heeft, en de zogenaamde goede smaak, de catwalks, de topmodellen, de anorexia en de hele rataplan, dat zegt me helemaal niets. Daar heb ik eerlijk gezegd totaal lak aan' (*I don't give a damn* – hij citeert hiermee de laatste woorden van *Gone with the Wind*).

Ze springt overeind, haar mond valt open, haar ogen worden bleekgroen. Wat is dit voor een straatschooier?

De straatschooier gaat door.

'Weet je, in de tijd dat ik in Parijs woonde ...'

'*Paris is nothing.*'

'In de tijd dat ik in Parijs woonde, heb ik op een gegeven ogenblik het *Instituut voor economische wanordening* mee helpen oprichten ...'

'*What*? Wat is dat voor een ding?'

'Ach, alleen maar een naam. Om kort te gaan, ik studeerde destijds met een paar andere jongens aan dezelfde ingenieursschool, we haalden de gekste fratsen uit en toen hebben we op een keer dus dat "instituut" opgericht, dat na de eerste succesvolle commandoactie (die meteen ook de laatste was) zichzelf weer spontaan heeft opgeheven.'

'Waar heb je het in vredesnaam over? *What are you talking about?* Ik snap er niks van.'

'Moet je horen, we hebben toen in een aantal bekende modezaken hier en daar in de schappen spulletjes uitgestald die we in vuilnisemmers hadden gevonden, en die we schoongemaakt en van een prijskaartje voorzien hadden. Het was een doorslaand succes: de klanten en het personeel hebben er niets van gemerkt. Dat jaar is er op de boulevard Haussmann afval verkocht en op de avenue Montaigne vuilnis ...'

'Avenue Montaigne is nothing.'

'... er zijn daar toen je reinste lorren van de hand gegaan (misschien heb jij daar destijds ook wel een paar koopjes vandaan gehaald, maar dat hield hij nog net voor zich), zelfs de meest voddige afdragers vonden gretig aftrek. Voor wat wij onder uit de smerigste vuilnisemmers hadden getrokken kwam men plotseling emmers met poen neertellen. Leve de consumptiemaatschappij (en op je gezondheid, Corry (dit in stilte gezegd))! Ik heb daar toen wel het een en ander van geleerd, een paar leefregels die me ook hier in Yorkshire goed van pas komen ... Laat je bijvoorbeeld niet verblinden door de schone schijn van de etalageruiten (allemaal een kwestie van watts), of verleiden door de lieve lachjes van de verkoopsters. Daar worden ze voor betaald, ze zouden net zo lief lachen als ze blikken kattenvoer voor straatkatten zouden verkopen. Heb je weleens gehoord van die ene filosoof, Cordelia, die na wat te hebben rondgelopen tussen de stalletjes van de markt, met lege handen thuiskomt en bij zichzelf in zijn baard prevelt: "Allemaal dingen die ik niet nodig heb."'

'*Well*, dat was dan een imbeciel.'

'Corry, jij smijt elke dag artikelen weg die je nauwelijks hebt gebruikt, maar voor de productie waarvan er een reusachtige hoeveelheid werkuren, grondstoffen en energie nodig is geweest, en die dus de vervuiling die onze planeet vergiftigt alleen maar doen toenemen en de zeespiegel steeds verder doen stijgen. Van de vuilnisemmers van York zou een heel dorp in India kunnen leven ...'

'Laten ze zich maar komen bedienen hoor, ze zijn *welcome*.'

'De mensen schaffen zich om de zes maanden een spiksplinternieuwe garderobe aan die ze totaal niet nodig hebben. In de Middeleeuwen hadden de mensen hun levenlang genoeg aan zo'n twee à drie hemden ...'

'Zullen die even schoon geweest zijn, die middeleeuwers van jou.'

'Dus al dat geshop, de mode, de smaak, ik vind het allemaal maar verdacht ...'

'Heb je er veel geld aan overgehouden?'

'Pardon?'

'Heb je er veel geld aan overgehouden, aan dat *Institute* van je?'

Adam grijpt met beide handen naar zijn hoofd. Ze heeft er niets van begrepen. Niets! Tenzij ze het juist veel te goed heeft begrepen en dat ze de discussie op haar eigen terrein brengt, dat van de *ultima ratio*: de financiële winst. De glimlach – nee, het is niet een glimlach maar meer een grijnslach waarmee ze hem aankijkt, geeft het aan. Hij probeert het over een andere, minder conflictueuze, boeg te gooien, herinneringen aan de kindertijd.

'Weet je, Cordelia, daar ben ik al heel vroeg mee in aanraking gekomen, met de mode ... En volgens mij had ik ook al heel vroeg door hoe de vork in de steel zat. Ik herinner me bijvoorbeeld iemand, Daniel Marrache, een heel sympathieke Jood ...'

'A Jew? You were friends with a Jew? In Arabia?'

'... die een klasgenoot van me was toen ik zo'n veertien, vijftien jaar was. Hij was wat je noemt de *arbiter elegantiarum* op het lycée. Wie had het eerst het getailleerde overhemd geïntroduceerd (in Casablanca (dit was een detail dat Adam liever ongenoemd liet; laat haar maar denken, zei hij bij zichzelf, dat ik mijn jeugd in de Haute-Provence heb doorgebracht)): dat was hij. En wie kwam het eerst met de "olifantspootbroek": hij. De eerste kiel, de eerste wambuis? Dat was hij, steeds maar weer hij! De anderen deden hun uiterste best zich met Marrache te meten. Maar dat ging gewoon niet: zo gaat dat nou eenmaal in de mode, je had Marrache en je had de anderen. De anderen, dat waren de boerenpummels, dat was het plebs ... Op een dag gonzend geroezemoes in de schoolbanken van de klaslokalen van het lycée Lyautey:

"Heb je Marrache z'n overhemd gezien?"

Gebouw H echoot:

"Hé, heb je het gezien, Marrache z'n ..."

In de pauze stormt iedereen naar gebouw S, waar het gerucht wil dat Marrache die ochtend is gesignaleerd. En warempel, het blijkt nog waar ook, daar is-ie dan, onze Beau Brummel, hij heeft net biologie gehad, een knappe, slanke verschijning, peinzende blik (met zijn hoofd nog helemaal bij de mitochondriën misschien?). Iedereen dromt om hem heen, ze staan te loeren, kijken zich scheel, hun ogen vallen uit hun kassen.

Hij droeg een getailléérd overhemd.

(Modesysteem nummer I: iedereen vindt meteen dat het gewéldig is, dat dit echt stukken beter is, een sprong vooruit in de geschiedenis van de mode. Waarom? *Omdat Marrache het draagt.* Iets nieuws + Marrache = GEWELDIG. Een onweerlegbare vergelijking. Stel dat Boeboel, Samuel Afora of Rachid Khalès (drie vrienden van me, heel aardige maar doodgewone jongens) de eersten waren geweest die een getailleerd overhemd hadden gedragen, dan was het geen mens opgevallen.)'

('Da's heel normaal', valt de Wrede hem in de rede. 'Daar let toch niemand op, op wat een boerenpummel draagt?')

'De menigte verspreidt zich, ieder zint op manieren om zo snel mogelijk aan een getailleerd overhemd te komen. Sommigen hebben familie in Parijs, anderen kennen een louche type dat in staat is om alles te leveren als er maar genoeg geld voor wordt geboden (die kerel heeft relaties in Ceuta, zijn broer is smokkelaar), een kleine slimmerik is van plan zijn moeder, die een heel goede naaister is, te vragen of ze een alledaags overhemd, van het soort dat recht naar beneden hangt (sinds tien minuten is dat een regelrechte verschrikking geworden! Toppunt van slechte smaak!), of ze van zo eentje een getailleerde versie kan maken (je hoeft toch alleen maar hier en daar wat los te tornen, het van weerskanten een stukje in te nemen en het hele zaakje weer in elkaar te zetten, waar of niet?). Alle hens aan dek.

Een maand later wandelt iedereen rond in een getailleerd overhemd (behalve Boeboel, Afota en ik: de internen hebben niet dezelfde middelen als de externen, en ook niet dezelfde reactiesnelheid). Modesysteem nummer II: deze ideaaltoestand duurt enkele maanden voort. *Everybody happy* ... Maar dan op een dag ...

"Heb je Marrache z'n overhemd gezien?"

Gebouw M of H, iedereen stormt naar buiten. De modekampioen draagt bij wijze van overhemd een aardappelzak ... Het is het allernieuwste ... het enige wat iedereen nog draagt, in Parijs, Milaan, New York. Het moet zo vormloos, zo onwaarschijnlijk, zo onduidelijk mogelijk ... Vaag is mooi. Schimmige, een beetje beverige silhouetten ... Het heeft allemaal iets heel kwetsbaars ... Metafysiek der kleding ... Metatekst van het textiel ... De mens erkent zijn fundamentele bestaansonzekerheid ... De koningen van de mode filosoferen over de leerstelling van Heisenberg ...

Ik draag sinds twee dagen – eindelijk! – een getailleerd overhemd (een van de externen heeft me het zijne gegeven in ruil voor de belofte dat ik hem tot het einde van het schooljaar met zijn wiskundehuiswerk zou helpen) maar nou hoor ik verdorie wéér niet tot de elegant gekleden, ik ben en blijf een boerenpummel ... Toch blijf ik hem koppig dragen, die hopeloos verouderde fladder, ik stop hem flink strak in mijn broek, zodat mijn kippenborst en mijn ingevallen hongerlijdersbuik er goed door uitkomen. Ik kreeg heel wat lollige opmerkingen naar mijn hoofd:

"Hé joh, Serghini, wat heb je nou aan, je lijkt wel een toreador!"

Ik schaam me rot ... die vervloekte Marrache!

(Die vervloekte Cruella! Het is exact hetzelfde systeem. Indertijd was het Casablanca, nu is het York ...)'

Ze heeft zonder een spier te vertrekken Adams hele woedende tirade aangehoord, hij struikelde over zijn woorden, haalde Frans en Engels door elkaar (zei je nou *arbiter elegantiarum* of was het *arbiter of fashion*? En hoe zei je 'getailleerd' in de taal van Shakespeare? Hij zwaait met zijn handen, schetst een paar krommen in de met rook bezwangerde lucht van de pub ...) Badend in het zweet houdt hij ermee op. Volgens hem is dit een meer dan overtuigend bewijs. *I rest my case, Your Honour* ... Maar ze neemt een trekje van haar sigaret, schenkt hem een diepmedelijdende blik. Het vonnis valt.

'Je snapt er niets van. Nothing.'

Adam zegt niets meer. Wat heeft het ook voor zin? Terwijl zij opgaat in haar triomf, moet hij opnieuw denken aan al die vernederingen van zijn kinderjaren. Als hij er eens goed over nadenkt, zo bij zijn ananassapje, dan is het duidelijk dat zijn familie, zijn voorouders, de ouden, de sjeiks, dat die nooit last hadden gehad van die modetirannie ... Eeuwenlang hadden daarginds rond Azemmour en Mogador hele generaties mannen in waardigheid steeds dezelfde kleren gedragen, en het model daarvan was van vader op zoon doorgegeven. En waarom ook niet? Wat dacht je bijvoorbeeld van de Romeinse toga, die was toch ook al die tijd onveranderd gebleven, van Caesar tot en met Nero? Toen hij op een keer het verhaal van de zeven slapers van Efeze las, was Adam meteen één ding opgevallen: er werd geen woord gezegd over wat die slaapwandelaars aanhadden. Daar is nooit over gesproken. 'Hier is wat geld, laat een van u daarmee naar de stad gaan en het reinste voedsel kopen dat hij daar ziet en dat vervolgens mee terugnemen opdat u zich ermee zult voeden. Maar laat hij optreden met tact om geen argwaan te wekken en niet uw aanwezigheid hier te verraden.' Wat een gelukzalige tijden waren dat toen je nog drie eeuwen lang kon slapen, rustig wakker kon worden en vervolgens naar het dorp kon wandelen om een paar aardbeien te kopen zonder dat iemand raar opkeek van de kleren die je aanhad. Kom daar nu eens om, die slapers hoefden maar even een te lang middagdutje te doen en dan zou de mode in het dorp alweer zijn veranderd en zou iedereen dubbelliggen van het lachen om ze. Kijk nou eens, wat een stelletje boerenkinkels!

Dat is niet mis, die kloof die Adam daar zit te overbruggen, daar op dat bankje naast Cruella, die hem af en toe bestookt met opmerkingen die hem dwars door zijn ziel snijden. Hij ziet ze aan zich voorbijtrekken, al die waardige mannen, zijn voorouders, allen gekleed op dezelfde wijze, vrij van de tirannie van stof en snit, onwetend van de ijdelheid der kleine verschilletjes; en hij ziet kristalhelder dat *zij het zijn die gelijk hebben.* (Eén ding is natuurlijk zo onwríkbaar als een axioma: hij stamt af van hen, niet van Byron of Cocteau. Maar, vanuit het oogpunt van het absolute zijn toch zij het die gelijk hebben.) Hé, dat is vreemd: hij ziet Cruella opeens steeds kleiner worden. Het is een optisch effect: ze is bezig zich te verwijderen; of is hij het soms die naar achter gaat (beweging is relatief)? Hoe dan ook, er is – opnieuw – een afstand tussen hem en haar aan het ontstaan. En ook tussen hem en al die mensen die zich elke zaterdag, uit naam van de mode, door haar komen laten uitkleden. Dat verschaft hem weer een nieuwe gezichtshoek voor zijn waarnemingen ...

'Cordelia, *I must confess*, je hebt gelijk: ik heb totaal geen smaak. En ik snap er helemaal niets van.'

Nooit de autochtoon tegenspreken. Wacht maar, zijn tijd komt nog wel.

6

Emma's verhaal

Omdat hij had toegegeven dat hij geen knip voor zijn neus waard was, had Cruella Adam weer in genade aangenomen. Na nog een blik op zijn 'boerenklompen' te hebben geworpen, is ze zo goed hem een rondleiding te geven. Deze boetiek, waarop buiten de naam van Piero Sraffa te lezen is, verkoopt nep-Italiaanse mode *made in Turkey*, die kleren zien er trouwens niet eens zo lelijk uit (voor zover hij dat tenminste kan beoordelen, want na alles wat deze modepausin over zijn smaak heeft gezegd, is hij daar niet zo zeker meer van). Hij voelt in het voorbijgaan, heel terloops, hier en daar eens aan de stof. Maar Cordelia ontgaat niets. Het oog van de meester! Ze pakt een van de jasjes die hij heeft aangeraakt, houdt het met een kordaat gebaar tegen zijn Morenlichaam aan, doet een stap naar achter, kijkt schattend, fronst haar wenkbrauwen en zegt:

'Mjaaa, zou misschien nog net kunnen. *Maar dan moet je het wel verdienen.*'

En hangt het jasje weer terug op zijn plaats. (Weer een

van die nieuwsgierig makende zinnetjes, maar Adam durft niet naar de diepere zin te vragen.)

De rondleiding wordt voortgezet. Ze laat hem het interieur zien, het koffieapparaat, daarna de kleren, daarna gaat het opeens naadloos over van object naar mens, ze laat hem in één moeite door de verkoopsters zien, haar slaafjes. Hij zegt beleefd:

'Dag dames!'

Ze antwoorden in koor:

'Hiya! Hi! Hullo!'

Ze lijken in het geheel niet verbaasd dat hun cheffin daar zomaar met een *wog* aan komt zetten. Adam had een paar dagen daarvoor met dat lelijke woord kennisgemaakt, het betekende iets in de trant van 'zwartjak'. Zijn collega Edward, die Oxford had gedaan, had hem verteld dat het het acroniem was van *westernized oriental gentleman.* Het lijkt Adam een heel geschikt woord: *gentleman,* dat probeert hij zo veel mogelijk te zijn, *oriental,* daar is geen twijfel aan – al is hij op een plek geboren die westelijker ligt dan Rome, Berlijn en Parijs, maar vooruit – en *westernized,* ook dat is vrij aannemelijk ten slotte (het betoog van de Filosoof in de pub ligt hem nog vers in het geheugen). Hij krijgt van de weeromstuit een idee: als hij nu eens een paar visitekaartjes liet drukken (op het station had je daarvoor een speciale machine, het kostte twee pond zoiets), visitekaartjes met daarop heel kort en krachtig:

Adam Serghini
wog

Die zouden hem een stuk beter kenschetsen dan de kaartjes die hij van de universiteit heeft gekregen: 'Doctor A. Serghini, wetenschappelijk onderzoeker in de econometrie'. Niemand heeft een flauw idee wat dat betekent.

Die verkoopsters dus schijnen niet erg onder de indruk te zijn van zijn aanwezigheid. Ze denken waarschijnlijk dat hij een Italiaanse of Portugese inkoper of verkoper is, een handelsreiziger die stalen komt laten zien, een stoffenverver, een topograaf, een winkeldecorateur, een industriële spion, de reiniger van het Umbrische zwembad van signora Crudela, de chauffeur, een lul-de-behanger (maar daar ziet hij niet helemaal naar uit), *and what not*. Hij laat al die vermeende identiteiten langs zich heen glijden.

Omdat ze in een speelse bui is (maar zoals gewoonlijk is er geen lachje of glimlachje op haar gezicht te bekennen), sleept Cruella hem mee naar haar kantoor en vraagt, door de ruit wijzend naar haar verkoopsters, wie hij nou de allerknapste vindt (*who do you think is the prettiest?*). Hij vindt het moeilijk er eentje aan te wijzen, voor hem zijn ze allemaal even jong en knap. Hij antwoordt dan ook:

'They all look the same to me.'

'Kom nou, hou je niet van de domme, er is er toch wel eentje bij die je knapper vindt dan de rest?'

'Nee echt, ze zien er allemaal even geweldig uit.'

'Toe nou, zeg het nou ...'

Ten slotte krijgt hij er genoeg van, hij geeft het op en wijst dan maar naar een lief glimlachend verkoopstertje dat iets heeft van een afbeelding die hij vroeger eens heeft gezien in een oude stukgelezen Larousse.

‘Hmmm’, zegt Cordelia. ‘Daarin heb je nog wel smaak. Emma is inderdaad erg aantrekkelijk.’

Ze gaan over op een ander onderwerp.

Voordat hij weggaat kan Adam het niet laten gauw even langs de colbertjesafdeling te lopen om een praatje met Emma te maken en haar te vertellen over wat hij zo-even heeft meegemaakt. Hij trekt eerst een samenzweerderig gezicht en staat een beetje te grinniken in de trant van ‘moet je nou eens horen, dame, ik heb je iets heel grappigs te vertellen’, maar daar houdt hij gauw mee op: Emma beduidt hem dat hij niet zijn hand voor zijn mond moet houden. Het is duidelijk waarom: ze moet liplezen om hem te kunnen begrijpen. (‘Het meisje was doof.’ Adam moest heel even denken aan een negentiende-eeuwse feuilletonroman, van het soort dat Eugène Sue en Ponson du Terrail schreven. Daarin kom je vast ook van dat soort zinnetjes tegen. ‘Het meisje was doof.’ Straks zou je zien dat ze ook nog wees was.) Wat een ramp! Hij was van plan geweest een imitatie weg te geven van Cordelia’s manier van spreken, die heel eigen was: succes verzekerd, Serghini wordt in één klap een alom geziene figuur, iedereen vecht om hem, voorgoed voorbij zijn avondlijke onderonsjes met een onwillige computer. Maar het is een grandioze mislukking, Emma kijkt Adam heel serieus en geconcentreerd aan, ze staart strak naar zijn lippen, die van de weeromstuit hermetisch gesloten blijven. Wat zou je dan ook te zeggen hebben tegen zo’n lief doofstom meisje, zomaar midden in York, en tussen al die blauwe blazers? Ten slotte besluit hij dan maar de waarheid te zeggen (*honesty is the best policy*), hij doet zijn verhaal zoals hij van plan was geweest het te vertellen; maar omdat hij dat accent niet kan nadoen, is er niks grappigs aan en het enige wat er van alles overblijft is een zielige verklaring waartoe alleen een playboy van het jaar nul in staat zou zijn:

'Jai bin-ut allerknappeste maisje van allemaal hiero!'

Maar gek genoeg proest ze het niet uit, ze begint niet om hulp te roepen, ze begint hem niet op zijn hoofd te meppen met een diepvrieshagedis (hij is op alles voorbereid); nee, ze kijkt hem recht in zijn gezicht, lacht heel lief en zegt:

'Thank you.'

En daar gaat ze, licht als een veertje, een etalage opruimen of iets van dien aard.

Serghini wankelt als door de bliksem getroffen de winkel uit.

Het is misschien toeval, maar in de loop van de daarop volgende dagen is hij vaak in de buurt van Piero Sraffa te vinden. Om allerlei redenen: een onverwachte boodschap, een onverklaarbaar ommetje op weg naar de universiteit, een dringende behoefte om een schietgebedje aan de Heilige Maagd in de kathedraal te gaan doen ... Elke keer werpt hij snel even een blik door de etalageruiten. Stel dat Emma er is, dan is het toch het minste dat hij haar even goedendag gaat zeggen (behalve als Cruella in de buurt is; dan maakt hij zich gauw, met een beetje bedroefd gezicht, uit de voeten). We kennen elkaar toch, zegt hij bij zichzelf, ter rechtvaardiging van zijn stalkerachtige expedities. Het komt niet bij hem op dat Emma misschien niet helemaal gediend zou kunnen zijn van het af en toe plotseling opduiken van die meneer Serghini (zolang ze er niet meteen vandoor gaat als ze hem ziet binnenkomen, veronderstelt hij dat het nog wel gaat). Hij gaat dan even een praatje met haar maken, wat niet altijd eenvoudig is (een doofstomme in Yorkshire: voor een gewone jongen uit Azemmour is dat zo'n beetje hetzelfde als de ultieme vreemdeling), hoe knoop je in vredesnaam een praatje aan met zo iemand? Bij het idee dat hij een blunder kan begaan, breekt het koude zweet hem soms uit, Adam, hij is bang dat hij iets onvergeeflijks zal zeggen in de trant van: 'Hou je van muziek?' of iets te zeggen als: 'Vertel me eens, Emma ...'

Af en toe heeft Adam het gevoel dat hij tekortschiet in zijn opdracht van etnograaf: kapitein Cooke en al die andere beroemde ontdekkingsreizigers hadden toch ook niet hun tijd verdaan met de doofstommen van die inheemse stammen die ze gingen opzoeken, waar of niet? (Om dit soort veronderstellingen te weerleggen heb je altijd wel de een of andere mooie brief van een geleerde die het exacte tegendeel beweert.) Schliemann ging toch ook niet informatie vergaren bij de doofstommen van de plaatselijke harem, waar of niet? Dacht je soms dat die geniale avonturier Troje en Mycene had ontdekt nadat hij eerst een tijdje voor menselijke semafoor had gespeeld? Wat sta ik toch *hic et nunc* te doen, verwijt Adam zichzelf, wat moet ik toch met die knappe Emma, ik kan toch veel beter die tien andere inboorlingen om haar heen laten praten? Ik ben echt geen ene knip voor mijn neus waard, is zijn conclusie; maar hij kan het maar niet laten om dat Engelse meisje het hof te maken. Ze leest zijn lippen en antwoordt met gebaren, al is ze wel in staat bepaalde klanken te produceren, die hij niet altijd kan thuisbrengen – ze houden op die manier gesprekken met elkaar die nog het meest lijken op monologen die soms onverwachts contact maken.

Op een keer komt er plotseling een beetje een zonderlinge vraag bij Adam op die hem niet meer loslaat: heeft hij zelf soms een accent? Zou het haar opvallen dat hij een accent heeft wanneer ze zijn lippen leest, schreeuwen haar mooie felblauwe ogen hem niet iets toe in de trant van: 'Hé daar, moet je eens kijken naar die makker hier, hij beweegt zijn lippen op een heel rare manier, die gozer, hij is niet van hier, hij komt ergens anders vandaan!'

Het is misschien idioot, maar hij vraagt Emma er toch naar.

'Do I have an accent when you lip-read me?'

Nauwelijks heeft hij die woorden uitgesproken, of hij heeft er al spijt van. Stel je nou eens voor dat ze opeens in tranen uitbarst omdat ze denkt dat die schurk van een Moor haar voor de gek houdt? (Zouden de beroemde ontdekkingsreizigers de lieve autochtoonse meisjes ook weleens hartzeer hebben bezorgd? Een kwestie om verder uit te diepen.) En stel nu eens dat ze zich in de Ouse zou gaan verdrinken (die stroomt daar vlakbij), in wanhoop over de intense doortraptheid van de mens? Gelukkig doet ze dat allemaal niet. Maar er verschijnt toch een klein rimpeltje op haar voorhoofd. Ze denkt even na en geeft hem vervolgens een vrij uitgebreid antwoord waarvan hij jammer genoeg niets begrijpt (hij kan haar het echt niet allemaal laten herhalen, het is een aaneenschakeling van gebaren en kleine kreetjes). Hij knikt toch maar; en omdat ze glimlacht, glimlacht hij ook.

Een paar weken later trekt hij de stoute schoenen aan: hij nodigt het meisje uit voor de bioscoop. Hij is eerst te rade gegaan bij zijn favoriete informant, zijn collega Edward. Al is hij zelf een Welshman, hij is op de hoogte van de zeden en gewoonten van de plaatselijke bevolking. Nee hoor, niks aan de hand, je kunt heel goed een doofstomme uitnodigen voor de bioscoop. *Nihil obstat.* Ze waren het er wel over eens, Edward en hij, dat het toch wel zo verstandig zou zijn om een buitenlandse film te gaan zien, met ondertitels dus, want dat zou voor Emma eenvoudiger zijn. (Pas nadat hij Edwards kantoor had verlaten, kwam het in Adam op dat hij het evengoed rechtstreeks aan Emma had kunnen vragen. Zoiets hoor je eigenlijk altijd te doen, verwijt hij zichzelf: geen onoprechte poespas, het gewoon aan de direct belanghebbende vragen. Maar niemand vertelt je ooit iets, je moet zelf door schade en schande wijs worden.)

Het gemengde paar gaat naar de bioscoop, in een groot, buiten de stad gelegen complex, waar zo'n stuk of zes, zeven films tegelijk worden vertoond. Adam heeft een taxi gecharterd – kom op, geld moet rollen! – en is daarmee Emma voor de kathedraal gaan ophalen. Hij heeft voor de zekerheid van tevoren kaartjes gekocht, je weet maar nooit. Bij aankomst constateert hij dat dat niet had gehoeven. Het blijkt niet echt storm te lopen in het Yorkshirse voor deze (ondertitelde) Iraanse film, ze zijn de enigen in de hele zaal, afgezien van Mohamed, een jonge Iraniër, een echte knappe kop, die tweemaal doctor is, in de geneeskunde en in de biologie, en die bezig is met een onderzoek aan de universiteit. Adam en Mohamed herkennen elkaar (vanuit de verte), ze groeten elkaar (vanuit de verte), maar opeens komt Mohamed toch maar aanzetten en geeft onze held een hand. (Zo intiem zijn we nou ook weer niet, denkt laatstgenoemde, het is maar een excuus om mijn dame van dichtbij te komen bekijken – kijk uit joh, hou je poten thuis, hè!).

'Hello', zegt de Iraniër.

'Ha die Mohamed', antwoordt Adam op brutale toon, hij is op zijn qui-vive, terwijl Emma alleen even glimlacht bij wijze van antwoord.

Adam spreekt met opzet Frans, een taal die Mohamed perfect beheerst, en geen Engels, zodat er geen gesprek tussen hen drieën kan ontstaan. Het is al moeilijk genoeg met zijn tweeën, zegt hij bij zichzelf, tussen zo'n buitenlandse snoeshaan en een doofstomme; nog een *wog* erbij dan wordt het helemaal abracadabra. Maar Mohamed heeft aan een half woord genoeg, hij heeft de boodschap ('Rot op, Momo') begrepen en gaat aan het andere eind van de zaal zitten. Na de film maakt hij zich zeer discreet uit de voeten, na heel even zijn hand te hebben opgestoken. (Nee, bij nader inzien toch een echte heer, die Momo, moet Adam bij zichzelf toegeven.) Maar op dat moment gaat het licht in de zaal uit en opeens beseft hij dat hij een van zijn sterkste troeven niet kan uitspelen: hij kan de lieve Emma niets in haar oor fluisteren.

Nu moet men weten dat het genootschap pedante kwasten waarvan Adam Serghini zich vol trots een lid mag noemen, in het donker net zo actief, zo niet nog actiever is dan bij klaarlichte dag. Vooral in de bioscoop laten ze zien wat ze waard zijn. De titel van de film is nog niet op het witte doek verschenen of ze buigen zich naar de oorschelp van hun buurvrouw of -man: 'Die titel daar is al driemaal eerder gebruikt: door Przewalski in 1923 voor een nooit-vertoonde film, door Julien Duvivier in 1945 en door Liu Tong-Bo in 1993 (maar die van Liu Tong-Bo bestaat alleen op dvd).' Wanneer de naam van een acteur verschijnt lispelen ze razendsnel: 'Geboren op 13 juli 1942, vader Ier, moeder Russische jodin. Hij is een tijdje timmerman geweest en toen weer filmacteur geworden ...' Een goed half uur voor de ontknoping komen ze fluisterend met de onthulling dat de intrige hen sterk doet denken aan die van *De moordenaar op de fiets*: dus het is de postbode die de moord heeft gepleegd.

Maar als je zo in het duister zit, hoe kun je dan ooit iemand die alleen kan liplezen voorzien van zo'n stroom cruciale informatie? Adam kan toch moeilijk zijn eigen gezicht met een zaklantaarn gaan beschijnen om Emma duidelijk te maken dat de geluidstechnicus – wiens naam net op het scherm verschijnt – dezelfde is als bij *De roos van Ispahaan*? Hij heeft er trouwens niet eens aan gedacht om een zaklantaarn mee te nemen. Diep terneergeslagen over zijn eigen nutteloosheid zakt hij in elkaar op zijn stoel. Vreemd genoeg schijnt Emma het hem helemaal niet kwalijk te nemen: als het licht weer aangaat, ziet ze er heel tevreden uit. Gerustgesteld stelt hij zijn dame voor iets te gaan eten in restaurant Concerto. Ze glimlacht, knikt enthousiast van ja. De twee tortelduifjes nemen een taxi terug naar het stadscentrum. Adam is in de zevende hemel. Wat een heerlijk uitje! Wat aardig stadje toch! Wat een schitterend land! *What a wonderful world*!

Hel en verdoemenis! Net op het moment dat Adam met de taxichauffeur afrekent, terwijl Emma braaf buiten op de stoep staat te wachten, wie ziet hij daar aan de overkant van de straat staan, onder de ramen van Reeds, recht overeind als een vogelverschrikker?

Cruella.

Daar staat ze, onbeweeglijk, ze slaat met een hand de kraag van haar jas op, haar blik is scherp als die van een slechtvalk, mesdun samengeknepen lippen, mauvekleurige neus, ze staat het allemaal onverbiddelijk in zich op te nemen, Cruella, Emma, de taxi en hemzelf. Het is alsof ze aan het observeren is, alsof ze iets bij zichzelf noteert, er iets uit afleidt, een besluit neemt (misschien dat hij het zich allemaal maar verbeeldt, maar het heeft er veel van weg). Daarna dribbelt ze rustig weg in de richting van haar boetieks.

Hun etentje in restaurant Concerto is heel gezellig (hoewel Cordelia's aanwezigheid daar op dat trottoir Adam een beetje een raar gevoel in zijn maag geeft – vooral vanwege het feit dat hij heeft gezien dat ze hen had gezien (maar waarom eigenlijk? zegt hij bij zichzelf. Ik ben haar niks verschuldigd, en zij is mij niks verschuldigd)). Hij doet zijn best in een goed humeur te zijn. Het eten valt echt mee en zijn tafeldame is beeldschoon. Omdat ze nu eenmaal een Iraanse film hebben gezien, voelt hij zich geroepen Emma in grote lijnen de geschiedenis van dat roemruchte land uiteen te zetten, te beginnen bij Cyrus de Grote (van wie bijna niets bekend is (maar Adam kan moeiteloos een kwartier lang oreren over volslagen onbekende figuren – in Frankrijk op school gegaan)), het gaat dus van Cyrus de Grote via de Sassaniden en de Sefeviden tot en met Khomeini. Emma luistert, of liever leest hem heel aandachtig. Af en toe laat ze hem iets herhalen. Dan articuleert hij het nog eens heel zorgvuldig (hij vraagt zich nog steeds af of hij nu wel of niet een accent heeft als men hem lipleest). De avond wordt besloten met een wandeling in de tuin van de kathedraal. Ten slotte brengt hij Emma naar haar huis. Een kuise kus op de wang. *Bye, bye!*

Misschien is-ie een *wog*, Serghini, maar hij is zeer zeker een *gentleman*, en hij maakt geen misbruik van de situatie.

De week daarop is Emma verdwenen. Ze is plotseling spoorloos verdwenen, zoals een Marokkaan die tijdens Oefkir aan politiek had gedaan. Ze is niet meer te zien door het raam bij Piero Sraffa. Al loopt hij ook drie keer op een dag langs de boetiek: niks. Waar is ze gebleven, zijn Emma? Hij voelt zich zo'n beetje haar eigenaar, en ook haar liefdesgevangene, want heeft hij haar niet aangewezen als de allerknapste, en heeft hij haar niet alles over Perzië verteld? Ze is eigenlijk van hem, die kleine Emma, hij heeft haar tussen alle anderen uitverkoren; en had haar opvoeding ter hand genomen. Ze was zijn Galatea. Maar waar zat ze nou toch? Misschien wist Cordelia er meer van?

Uiteindelijk vraagt hij het haar rechtstreeks, in de Blue Bell. Het antwoord is kort en knalhard.

'Ik heb haar ontslagen.'

'*What*? En waarom?'

'Sinds wanneer moet ik aan jou verantwoording afleggen voor wat ik doe? Oké dan, ze liep alleen stage bij me. Ik heb haar ontslagen omdat ik op het personeel moest bezuinigen. *Last in, first out*. Snap je? Kwestie van commercieel beleid.'

'En waar is ze nu?'

'Wat kan jou dat nou schelen? Ze is waarschijnlijk naar huis gegaan, in Hull of Scarborough, weet ik veel. Zeg eens, je zit je toch niet van alles in je hoofd te halen, hè? Ze was toch veel te knap voor jou. En ook veel te jong. Heb jij het soms op baby's voorzien? En wat had je haar nou helemaal te bieden? Je hebt niet eens een auto.'

Adam is helemaal in zak en as, hij zint op mogelijkheden om erachter te komen waar Emma zit. Haar collega's weten niet waar ze woont. Wat moet hij doen? Moet hij soms naar Hull of Scarborough en daar aan de veldwachter vragen of hij op straat iets wil gaan rondbazuinen in de trant van: 'Adam zoekt Emma! Adam zoekt Emma!' (Emma hoe eigenlijk? Opeens beseft hij dat hij niet eens haar achternaam weet ...) Trouwens, ze zou hem helaas niet eens kunnen horen, die veldwachter. Een sandwichman inhuren? Een sportvliegtuigje huren met een luchtreclamedoek? Op televisie verschijnen tijdens *prime time?* Aan de koningin schrijven?

Het weekend daarop is hij naar Scarborough gegaan (Hull is echt een te droefgeestig plaatsje om ooit iemand als Emma te hebben geproduceerd, vond hij). Hij liep door de straten, liep heen en weer op de boulevard ... Vergeefse moeite. Hij ging even kijken naar het graf van Anne Brontë, hij bezocht het kasteel – misschien had Emma daar wel een baantje als gastvrouw gevonden? Weer niets. Hij ging terug naar York, op een zondagmiddag, ontroostbaar; hij besloot een punt te zetten achter deze prille *love story*.

Sindsdien koesterde hij in zijn hart een speciaal plekje voor restaurant Concerto in het bijzonder en voor Iran in het algemeen.

En een nog fellere haat voor Cruella.

7

Gemengde berichten

Sinds de affaire Emma noteert Adam hartstochtelijk alles wat met Cordelia te maken heeft. Hij weet heel zeker dat hij dat op een keer goed zal kunnen gebruiken. Tegen haar. De Filosoof – of was het misschien de Trainspotter geweest of Tom, haar ex-echtgenoot? – heeft Cruella verteld over het gesprek dat ze met z'n drieën hadden gehad, daags na Adams ontmoeting met de advocaat. Tegen de verwachting in is ze erg gevleid.

'Zo, het schijnt dat je de Engelsen bestudeert? Bof jij dan even met mij: ik ben namelijk een van de visitekaartjes van dit land. Maar ik waarschuw je: haal het niet in je hoofd om iets over mij te publiceren, want dan krijg je ter plekke een proces aan je broek. En ik zal je er meteen bij vertellen dat ik altijd ál mijn processen win. En denk maar niet dat het je iets zal helpen als je die hoerige advocaat van je te hulp roept, met wie je nu zulke dikke vrienden bent.'

Hierna geneert Adam zich er niet meer voor om ook waar Cordelia bij is notities te maken.

Kortgeleden heeft ze ergens een affiche gezien van *Germinal,* 'de film', zoals men zegt. Sindsdien verkondigt ze aan iedereen die het horen wil op een toon die geen tegenspraak duldt:

'Er is maar één Franse schrijver, en dat is *Imil Zoula.*'

Adam doet net alsof hij het allemaal opschrijft, al jeuken zijn handen om dat analfabetensmoelwerk eens flink te bombarderen met de complete werken van Stendhal en Chateaubriand. Toch is er iets in hem dat zich daartegen verzet. In zijn naïviteit probeert hij Cruella warm te laten lopen voor *Candide* ('Het meest perfect geschreven boek dat er bestaat, Corry, waarschijnlijk het enige in zijn soort: geen woord te veel, alles staat, tot op de komma nauwkeurig, op de juiste plaats'); en ook voor de *Mémoires d'outre-tombe* ('Een meesterwerk'); en voor *Nadja* ('De toon is van een ongeëvenaarde noblesse, zonder ooit arrogant te worden'). Hij zit het allemaal uit te leggen, aan te tonen, hij verstrikt zich, praat zich vast ... Ze zit het allemaal aan te horen, zonder een woord te zeggen, met een spottende blik, sigaret in het hoofd; en als hij ten slotte zwijgt, herhaalt ze alleen:

'Ach wat, je snapt er niks van, de enige ware, dat is *Imil Zoula.*'

Adam loopt door Stonegate, op weg naar de kathedraal. Het is stralend weer. Hij ziet Cordelia aan de overkant van de straat, ze doet de ronde in haar koninkrijk. Een jonge werkloze biedt haar *Big Issue* aan, een krantje dat ongelukkigen zoals hij, mensen zonder huis of haard, in staat stelt nog een paar schamele *pence* bij elkaar te schrapen en min of meer het hoofd boven water te houden. De rijkste vrouw van Yorkshire wordt lijkbleek: diepbeledigd.

'Zoek een baantje, kleine', sist ze.

Adam noteert de scène bij zichzelf.

Elke zes maanden vraagt ze een van haar verkoopsters bij haar op het château te komen. Vandaag is het Amanda's beurt. Adam is erbij aanwezig, Hare Wreedaardigheid heeft ook hem ontboden. De meesteres opent alle kasten, Amanda, een beetje verlegen door de aanwezigheid van de jongeman, mag uitkiezen wat ze wil.

'Dit is de manier waarop ik van mijn oude kleren afkom', merkt Cordelia tegen niemand in het bijzonder op.

Oúd, kleren van zo'n zes maanden geleden? Adam werpt even een blik op zijn Tergalbroek, die uit de tijd van de Meden en Perzen dateert.

Cruella heeft vandaag een dolle bui, ze loopt met allerlei bontgekleurde sjaals te zwaaien, gooit armenvol pullovers naar Amanda, die een beetje gegeneerd staat te giechelen. Mevroi maakt een paar onbeholpen danspasjes, met om haar nek een lange sjaal die ze op een gegeven moment op de grond laat vallen (jammer dat ze zich er niet per ongeluk mee heeft gewurgd! denkt Adam bij zichzelf). Plotseling geeft ze Amanda een zoen midden op haar mond, terwijl ze van opzij naar Adam loert. Kijk eens aan.

Hij kijkt naar haar, die vrouwelijke Gatsbyversie, waar niks knaps of mysterieus aan te bekennen valt. Waar slaat deze hele scène op? (Wetenschappelijk-methodische vraag: moet hij echt alles begrijpen? Antwoord: ja.) Hij registreert de scène in zijn geheugen, zo meteen gaat hij hem in de rust van zijn appartementje op de campus op papier zetten. Misschien komt hij dan achter de verborgen betekenis ervan.

Op een keer als hij met gesloten ogen naar *Nessun Dorma* zit te luisteren (ze bevinden zich in La Baguette, Gustave heeft om de een of andere onduidelijke reden een cd met klassieke muziek opgezet (Adam heeft niet de indruk dat die Gus nou zo'n muziekfan is, ondanks zijn Hongaarse (of zijn het Armeense?) genen)), zegt ze tegen hem:

'Vind jij dat nou zo mooi, klassieke muziek? Ik wil wedden dat je maar doet alsof. *You fake it*. Ken je dat stuk dan?'

'Volgens mij is het Pavarotti.'

Ze grinnikt vol minachting.

'Jij weet echt van toeten noch blazen! Pavarotti, dat is een zanger van variériténummers, een dikzak. Hij zingt altijd in Wembley, het is geen componist. Wacht eens, het staat op de hoes. Eens even kijken ... (Ze staat op, gaat kijken.) Het is van Puccini (ze zegt *Pussini*). Vast een Italiaan.'

Adam heeft een hekel aan mensen die vinden dat hij van toeten noch blazen weet. Als ze echt had gekeken wat er allemaal op die hoes stond, zou ze er iets van hebben opgestoken, er wijzer van zijn geworden ... maar ach, wat heeft het ook voor zin? Daar gaat het helemaal niet om. Hij zegt niets, noteert het alleen. Hij klemt zijn kaken zo stijf op elkaar dat het pijn doet.

Ze laat hem allerlei brochures en prospectussen zien. Ze is van plan nog een buitenhuis in Italië erbij te kopen.

'Maar niet in Toscane! Iedereen gaat tegenwoordig naar Toscane, zelfs onze ministers. Dat stelletje boerenpummels ... Nee, ik ga iets in Umbrië kopen. Daar vind je pas het authentieke Italië!'

Het modesysteem, toegepast op de architectuur.

Hij noteert U-m-b-r-i-ë, voor het geval hij ooit een miljard in de Lotto wint.

Ze zit hem in haar kantoortje in Piero Sraffa met halfgesloten ogen op te nemen.

'Ben jij eigenlijk een *social climber*?'

'Wat is dat?'

'Iemand die omhoog wil op de maatschappelijke ladder. Misschien dat ik je op een dag nog eens aan een paar vrienden van me voorstel, als je een beetje betere manieren hebt geleerd.'

Ze denkt dat ze hem er een dienst mee bewijst als ze hem kennis laat maken met lieden die hij zelfs geen prei in zijn tuin zou laten planten (bij wijze van spreken dan: in feite bezit hij niet één prei). Ze heeft het over maatschappelijke hiërarchie en slaat hem zonder blikken of blozen lager aan dan lieden waar geen mens in Azemmour ooit van gehoord heeft. Ze vindt het heel vanzelfsprekend dat hij zijn tijd zou willen verdoen met zich bewonderend te vergapen aan de rozentuin van een graaf, of de prostaat van de een of andere hertog, enkel en alleen omdat ze van hier zijn. Hij zou vlammen van woede willen spuwen, maar hij blijft beleefd. Wespenprikjes, herhaalt hij bij zichzelf. Etnoloog, zorg dat je een dikke huid hebt! De risico's van het vak ... Hij noteert.

Het kleine nieuws*huntertje* dat Cordelia Adams avontuur met de advocaat heeft overgebriefd, heeft waarschijnlijk in één moeite door verteld dat hij net zo Frans was als de eerste de beste Rifbok.

'*So you lied to me?* Heb je tegen me gelogen?'

Ze schijnt het hem niet eens kwalijk te nemen; integendeel zelfs, hij heeft de indruk dat hij onmerkbaar een beetje in haar achting is gestegen (ze schijnt een nog grotere minachting voor de Fransen te hebben dan voor hun eigen uitheemse snoeshanen, wat Adam nogal merkwaardig, of in ieder geval ongebruikelijk voorkomt (maar goed, op die manier was hij eindelijk af van het complex dat de Zweedse van de rue Saint-André-des-Arts hem had bezorgd)). Maar in de daaropvolgende weken neemt ze wel de gelegenheid te baat hem op de hoogte te stellen van een heleboel dingen over het land van haar voorouders die hem totaal onbekend waren, zoals hun zeden en gewoonten, en hun religie. Een bloemlezing:

Your Prophet was a bad man, want hij trouwde met een zesjarig meisje. Jullie koning Bourguiba is een tiran. Niet de Nijl maar de Amazone is de langste rivier ter wereld (nou en?). Jullie produceren helemaal niet de beste kamelen van de wereld, daarin is Noorwegen veel beter (het lijkt verbijsterend, maar dat zei ze werkelijk, tenzij Adam het verkeerd had begrepen; maar ja, *Norway*, dat is toch Noorwegen, niet?). Marrakesj heeft alles aan Churchill te danken (hij moet zich op zijn lippen bijten om niet daar aan hun tafel de naam van Yoessef Ibn Tachfine te noemen, en van nog zo'n tien koningen en twintig kaïds (maar ach, wat had het ook voor zin?). De Afrikanen die succes hebben zijn allemaal op de een of andere manier halfbloeden (jij bent toch ook een beetje een halfbloed, niet?) (Nee.)). *Arabic* is een onbegrijpelijke taal, het enige wat je hoort is *grkh* en *qgdr* (ze produceert een aantal keelklanken die geen van alle in het Arabisch bestaan). Jullie mishandelen je vrouwen. Je hakt hun huppeldeflupje af ... (Meer kan hij niet hebben, nou gaat ze echt te ver), Adam valt haar in de rede en steekt een lange redevoering af over clitoridectomie die niet in Noord-Afrika voorkomt (men weet daar niet eens wat het is), het heeft niks met wat voor religie dan ook te maken, het is een gewoonte bij de Somaliërs en de Soedanezen (allemaal *wogs*, zeggen Cordelia's vuurschietende ogen (iemand heeft haar durven tegenspreken)), het is trouwens een gewoonte die gelukkig aan het verdwijnen is (Adam gooit er gauw een schepje op); en in het vuur van zijn betoog wijst hij erop dat er nog maar twee eeuwen geleden in de Engelse wet stond dat de vrouw het éigendom was van haar echtgenoot, dus net zoiets als zijn overhemd en zijn pijp. Cruella komt zonder iets te zeggen overeind, haalt haar schouders op en lopend mokkend weg. Adam heeft een beroepsmatige vergissing begaan: hij heeft de inboorling ontstemd.)

Nog een bloempje uit de bloemlezing:

'Casablanca is, zoals al uit de naam blijkt, een Spaanse stad, jullie hebben zelf nooit iets gebouwd. Tanger is een bedenksel van de Engelsen of de Amerikanen.'

Adam weet niet goed hoe hij op dit alles moet reageren. Opeens krijgt hij een visioen: kapitein Cooke komt aan op het een of andere eiland en doet zijn best om, gezeten in kleermakerszit in de hut van het stamhoofd, de plaatselijke wilden beter te leren kennen; maar in plaats daarvan vertellen die hem haarfijn wat de beste pubs van Londen zijn, onthullen hem alle familiegeheimen van de Britse kroon en dragen in koor en begeleid door de tamtam de monoloog van *Hamlet* voor. Hoe zou hij daarop hebben gereageerd, kapitein Cooke?

8

Eerste poging

Gaandeweg lukte het Adam zich enigszins in te burgeren in het rustige leefritme van Yorkshire. Zo'n twee- à driemaal per week ging hij, na overdag flink te hebben gewerkt, 's avonds naar de Blue Bell, waar Cruella hem dan uitlegde hoe rijk zij wel was en dat haar vrienden adellijk tot in hun tenen waren, en dat hijzelf maar een heel gewone boerenkinkel was, en dat hij echt ongelooflijk bofte dat hij haar zomaar tegen het lijf was gelopen, en dat ze op den duur ondanks alles wel iets van hem zou weten te maken. Onderwijl zat hij in gedachten verzonken aan zijn ananassapje.

Op een avond, het moet zo'n twee maanden na hun eerste ontmoeting zijn geweest, nodigde ze hem uit 's avonds bij haar te komen eten. Ze had couscous klaargemaakt (een van haar winkelhulpjes had de boodschappen voor haar gedaan; ze had voor de ingrediënten een recept in de *Daily Mirror* uitgeknipt; maar waar haal je in York nou ooit *ras-al-hanout* vandaan?); ze had dus een 'exotisch' gerecht (dat vond ze zelf tenminste) klaargemaakt en nu wou ze weten wat de kenner van de Marokkaanse keuken ervan vond. Nou, wat je maar 'kenner' noemt: Adam had de helft van zijn leven op het internaat van het lycée Lyautey doorgebracht, de intendant daarginds luisterde naar de naam Dupont, ze aten elke dag biefstuk met patat en af en toe, als het feest was, 'cassoulet' of 'quenelles de veau à l'ancienne'. (Indertijd stond er 's middags en 's avonds zelfs een karafje rode wijn op tafel. Maar dat schijnt in de jaren tachtig te zijn afgeschaft (iemand was tot de ontdekking gekomen dat ze daarginds in een mohammedaans land verkeerden).) Maar Adam zag ervan af dat allemaal te gaan uitleggen. Hij was tot het inzicht gekomen dat dat toch geen zin had. Hij kon uren achter elkaar praten als Brugman ... maar het maakte allemaal niks uit: 'Couscous', dat stond er op zijn gezicht en in zijn paspoort geschreven. Hier zo, couscous, dat ben ik! Het stond aangekruist in het vakje 'Maghreb': couscous!

Ze eten in de keuken, die zo groot is als Adams appartement op de campus. Zij troont pal tegenover hem, onder de Hockney, die ze hem tot op de vierkante millimeter heeft laten bewonderen. (Vreemd, voordat hij Cordelia ontmoette hield hij wel van Hockneys schilderijen; nu opeens niet meer.) Nadat ze de couscous à la sauce *Daily Mirror* – waarvoor hij haar heel hypocriet een tien met een griffel geeft – naar binnen hebben gewerkt, wil Cordelia hem haar baldakijnbed laten bewonderen, waarin vijf eeuwen geleden Mary Stuart, de koningin van Schotland, heeft geslapen (ik hoop dat ze sindsdien de lakens hebben verschoond, denkt Adam bij zichzelf). Hij is er helemaal weg van, van dat grote, houten meubelstuk, dat in feite een doodnormaal bed is, niet meer en niet minder. Dan stuurt ze hem naar de salon.

'Ik ga me even opmaken. Kom over tien minuten maar naar mijn slaapkamer.'

Adam ziet buiten langs het trottoir een rijtje wachtende taxi's staan.

'Ik denk dat ik maar eens naar huis ga', kondigt hij aan.

Haar mond valt open, in een O-vorm.

'Wat ... waarom wil je opeens weg?'

'Luister eens, ik voel me niet helemaal op mijn gemak. Ik sta hier met jou in je slaapkamer terwijl je echtgenoot daar beneden in zijn hut zit ...'

'Ten eerste is het mijn ex-echtgenoot. Bovendien is het gewoon de tuinman, hij krijgt loon naar werk van me, het is niet meer dan een dronken lor, een *nobody*.'

Een nobody!

Kijk eens aan, wat een vuile viesneus! Wat een rotkreng! (Bovendien liegt ze nog ook: Adam wist nog goed hoe ze naar hem had gekeken, naar Tom, een paar dagen geleden in de pub. Hij is helemaal geen nobody voor haar (het is niet duidelijk wat hij nou wel is, maar dát in ieder geval niet)).

'Toch zit het me ergens niet lekker. Bovendien, ik ken hem, Tom, ik heb een afspraak met hem morgen, in de Blue Bell, ik vraag me af wat hij hier allemaal van zal vinden?'

Ze haalt haar schouders op, maakt een snuivend geluid, onderdrukt een boertje, steekt een sigaret op. Erg *lady-like*.

‘Oké, rot maar op dan.’ (*All right, beat it, then.*)

Adam stormt halsoverkop de trap af. Buitengekomen haalt hij eens flink diep adem, ha, eindelijk frisse lucht! geen behoefte aan een taxi, hij loopt liever naar huis: een stief uurtje lopen, daar zal je van opknappen, zegt hij tegen zichzelf.

Het was pikkedonker op de paadjes die naar de campus leidden, maar hij zette er flink de pas in. Hij probeerde rustig na te denken. Het klopte niet, dit hele zaakje. Had Cruella hem nou een ‘oneerbaar voorstel’ gedaan, ja of nee? (Het was maar bij wijze van spreken: hij vond dat dit soort voorstellen niks oneerbaars hadden, als er maar geen chantage of bruut geweld aan te pas kwam; het was tenslotte de manier waarop er kinderen werden gemaakt.) ‘Ik ga me even opmaken. Kom over tien minuten maar naar mijn slaapkamer.’ Wat wou ze daarmee zeggen? Komen voor wat? Voor zover hij had kunnen zien, had ze in haar slaapkamer geen schaakbord of kaartspel gehad; bovendien, daar zou ze zich toch niet voor hoeven opmaken, voor een potje schaken of een partijtje kaarten?

‘Nou goed, laten we zeggen dat ze me een oneerbaar voorstel heeft gedaan.’

Maar dan (zei hij tegen zichzelf terwijl hij zich een weg baande door een kleine haag), dan snap ik er helemaal niks meer van: waarom had ze zich dan zo verschrikkelijk tegen hem gedragen al die weken, waarom had ze hem dan al die tijd zo voor de gek gehouden, vernederd, zijn huid volgescholden? Nee echt, hij snapte er echt niks van. (Hij zag nu werkelijk geen hand meer voor ogen, hij had York achter zich liggen en kon zich alleen nog maar op de in de verte pinkende lichtjes van de campus oriënteren.)

'Als ik iets voel voor iemand, zoals bijvoorbeeld voor Emma, dan ga ik haar toch niet proberen te versieren door haar uit te maken voor lellebel of slet, of verschrikkelijke sneeuwvrouw? Zoiets loopt toch van geen kant? Dat moet ik toch eens aan een echte vrouwenveroveraar gaan vragen – maar ja, zo'n aberratie is natuurlijk altijd mogelijk, je staat soms versteld waartoe de menselijke natuur in staat is.'

Dat soort strategie had bij Serghini de Moor werkelijk geen schijn van kans.

'Bij ons (hij begrijpt niet goed waarom hij het opeens over "ons" heeft) ligt dat soort dingen heel gevoelig, we zijn nu eenmaal heel trots, we vergeven een belediging *nooit, nooit* van ons leven.'

De eerste gebouwen van de campus doemden voor hem op.

Die avond schreef Adam in zijn kleine waterbestendige notitieboekje: 'In tegenstelling tot de Moor is de Engelsman in staat naar bed te gaan met degene die hem heeft beledigd.'

Merkwaardige bevolkingsgroep.

9

Zo hoor je nog eens wat

Ze waren elkaar misgelopen, Adam en de gesjochten jongleur, die avond waarop ze met elkaar hadden afgesproken. Of beter gezegd, de gesjochtene had de econometrist laten zitten. Die had in gezelschap van zijn ananassapje ergens in een hoek van de Blue Bell tevergeefs zitten wachten terwijl de uren voorbijgingen. Die vervloekte zuiplap had toch heel duidelijk van ja geknikt, herhaalde hij bij zichzelf, het niet aandurvend om weg te gaan. Cordelia, die laat op de avond nog even een kijkje in de pub kwam nemen, haalde haar schouders op toen hij haar van de mislukte afspraak vertelde.

‘Wat wil je, Tom is aan de drank, daar kun je geen staat op maken. (Plotseling wantrouwig). Wat is dat eigenlijk voor een afspraakje tussen jullie tweeën?’

‘Ik zoek iemand die mijn appartement op de campus wil komen schilderen.’

Adam antwoordde zonder aarzelen, hij was zich er niet eens bewust van dat hij loog. Maar wat had hij dan moeten antwoorden? (‘Tom gaat me vertellen wat hij allemaal van je weet.’)

'O, ik snap het.'

Gerustgesteld (als het alleen maar om wat handwerk ging ...) vertrok ze weer.

Maar op een dag dat Cruella naar Londen was om daar een paar van haar leveranciers te bedonderen, lukte het Adam toch om beter kennis te maken met de ballenkunstenaar. Hij kwam hem toevallig tegen in Stonegate, waar hij wat liep rond te slenteren, om zich heen kijkend, met zijn handen in zijn zakken. Om het goed te maken dat hij hem zo voor niks had laten wachten, nodigde hij Adam uit voor een kop thee in zijn hut. Het bleek een houten huisje te zijn, piepklein maar vrij comfortabel. Adam had gedacht dat ze met elkaar zouden gaan converseren, heel beleefd, als een paar *gentlemen* in hun club, maar, anders dan zijn Cruella, was Tom nogal aan de laconieke kant. Hij zat er vrij zwijgzaam bij, daar op zijn kruk. Er viel echt niks uit te krijgen. Adam probeerde de ene invalshoek na de andere, maar niks, de ander bleef zich op de vlakte houden, reageerde met een half woord, krabde zich eens aan zijn kin.

'Ik heb hem verdraaid nog aan toe', zei Adam bij zichzelf, 'echt nodig, deze makker.' Er was natuurlijk geen betere informateur dan hij, deze pief had destijds Corry toch meegemaakt als de vrouw zonder hoofd? Maar hij voelde heel goed dat de ander hier in die hut van hem zijn mond stijf dicht zou blijven houden. Hij was in nuchtere toestand. Er zat dus niets anders op: Adam stelde hem voor hun gesprek, dat geen gesprek was, in de pub voort te zetten. De jongleur pakte Adams pols beet en raadpleegde diens horloge.

‘Inderdaad, ze zijn open’, zei hij. ‘Vooruit, daar gaat-ie.’

Hij stond in één sprong buiten zijn hut, waarvan hij de deur openliet, en ging op weg naar het toegangshek van het domein.

‘Doe je de deur niet op slot?’ vroeg Adam zonder erbij na te denken, toen hij hem ingehaald had.

De ander liet een gegrinnik horen.

‘Dacht je soms dat iemand mijn sokken zou komen jatten? Zeker met die tent hiertegenover ...’

Hij wees met zijn duim naar het indrukwekkende gebouw waar zijn ex-echtgenote woonde. Ze liepen de straat uit, sloegen linksaf en vijf minuten later zaten ze met z’n tweeën op een bankje in de Blue Bell. Op dat uur waren er niet veel mensen. Ze werden meteen bediend.

Na een paar glaasjes kwam de jongleur los, zoals Adam had voorzien. Hij leunde achteruit op zijn bankje, keek hem spottend aan en zei:

‘Zo, dus jij bent de nieuwe?’

‘De nieuwe wat?’

‘De nieuwe favoriet van Cordelia. Heeft ze genoeg van Gustave?’

‘Wat bedoel je?’

‘Kom nou, hou je maar niet van den domme. Maar goed, ik kan het me wel voorstellen. Gustave is natuurlijk wel groter en beter gebouwd dan jij, maar eerlijk is eerlijk, hij heeft geen enkele conversatie, die twee hebben elkaar geen moer te vertellen ... (Hij grinnikt.) Maar aan de andere kant heeft ze ook geen antwoord nodig, ze zit altijd urenlang zelf te oreren. Vroeger was ze zo niet. Toen zat ze alleen te luisteren, alles in zich op te nemen ... Nu denkt ze dat ze alles weet. (Hij leegt zijn glas.) *Anyway*, ze heeft dus de ene *Frenchy* tegen de andere *Frenchy* ingeruild!'

'Maar dat heb ik je toch al gezegd, ik bén geen Frenchy. Weet je niet, het was op die avond met de Filosoof en de Trainspotter. (Tom kijkt hem vragend aan. Adam beseft opeens dat die namen alleen hemzelf iets zeggen. Voor de ander gaat het waarschijnlijk over Dave of Pete ...) Hoe dan ook, ik ben geen Frenchy. Trouwens, die Gustave, die had meer iets van ...'

Tom valt hem in de rede.

'Ach, wat doet het er ook toe. Voor Corry ligt Frankrijk ergens tussen Calais en Timboektoe. Trouwens, Timboektoe, is dat niet in Algerije?'

'Niet helemaal. Eerder Tamanrasset.'

'*All right*, Corry's Frankrijk ligt dus tussen Calais en Tamanrasset. *Frog* en Co, *anyway*.'

'Maar weet je zeker dat zij en Gustave ...'

Tom ging ineens op iets anders over (Adam deed zijn best hem zo scherp mogelijk te observeren: Hij zit nu aan zijn zesde glas, zijn handen beven niet meer (vreemd, dat zou eigenlijk omgekeerd moeten zijn!); er is daarentegen opeens een soort zenuwtrekje onder zijn linkeroog zichtbaar, het is alsof hij voortdurend knipoogt).

Tom:

'Zeg eens, hoe ver ben je met je studie van Corry? Heeft ze het al over haar tweede echtgenoot gehad?'

'Jawel, maar vrij oppervlakkig.' (Adam was zich bewust dat hij zich op glad ijs bevond. Het was immers niet zo best voor Tom afgelopen, dat hele zaakje.)

Afgezien van dat zenuwtrekje verscheen er nu ook een

ontsierend soort grimas op het gezicht van de jongleur.

'Weet je, nadat ze met hem getrouwd was, heeft ze hem volgestopt met drugs en op een vliegtuig gezet naar Shri Manganese Yogi of zoiets, de een of andere oplichter die hem elke ochtend onder hypnose brengt. Arme kerel, hij zal het waarschijnlijk niet lang meer maken ... Maar goed, wat kan het me ook allemaal verdommen. Had-ie maar moeten uitkijken voordat-ie eraan begon.'

Hij streek met zijn hand over zijn ogen.

'Maar hoe zit dat eigenlijk met jou ... wat heb jij met deze hele zaak te maken? Ik geloof er echt geen moer van, dat verhaal van je, "de Engelsen bestuderen", laat me niet lachen. Ik krijg nog geen hoogte van jou, maar die praatjes van je, daar trap ik mooi niet in. Maar één ding moet ik je echt zeggen: blijf uit de buurt van Corry. Je draait de hele tijd om haar heen, nee, dat kan echt niet.'

Hij laat er gedempt op volgen:

'Smeer 'm joh, voordat het te laat is. Die tante is een *black widow*, een bidsprinkhaan. Ze gaat je te grazen nemen, ze zuigt je leeg ... en dan gooit ze je weg. Je bent helemaal niets voor haar. Nothing.'

Adam fronste zijn wenkbrauwen. (Een *vrouw* hem te grazen nemen, een geboren en getogen Zemmouri? Die kerel zit te raaskallen. Maar intussen heeft hij indirect bevestigd dat het wel degelijk een oneerbaar voorstel was geweest die avond. ('Ik ga me even opmaken. Kom over tien minuten maar naar mijn slaapkamer.'))

Volgens Adam is de Engelsman nu echt stomdronken, hij waagt het erop.

'Heb je haar werkelijk verkracht?'

De grimas vertrekt tot een bittere grijns.

'Dat is wat zij ervan maakt. Maar daar klopt natuurlijk helemaal niks van. Ze was daarvoor zes maanden lang met een vrouw naar bed gegaan. Allicht dat wat ik met haar deed, en wat elke man zou hebben gedaan, dat dat je reinste verkrachting was voor haar. Snap je wat ik bedoel? Nee? Moet ik het soms voor je uittekenen? In dat soort dingen kan je niet op tegen een vrouw, nietwaar ...? Bovendien, we hadden allebei gedronken. Het was een veel te smal bed voor ons tweeën, dat gaf natuurlijk een beetje gerommel, er zullen best een paar blauwe plekken zijn geweest na afloop. Destijds was het ook al niet duidelijk of ze nou ja of nee zei, ze ging alle kanten op. Maar om het nou meteen over verkrachten te hebben ... Als dat echt zo was geweest, dan was ze toch nooit drie weken daarna met me getrouwd?'

Adam schraapte zijn keel.

'Mag ik je een beetje een persoonlijke vraag stellen?'

'Ga je gang maar, niks aan de hand. Maar haal eerst even iets te drinken. Jij trakteert.'

Adam ging snel twee pinten bier halen en zette ze allebei voor Tom op tafel, die blies van plezier.

'Wat was je vraag ook alweer?'

'Oké ... Ik probeer het gewoon een beetje te begrijpen. Ik kom uit een land waar dit soort dingen niet vaak gebeuren. Dus Cordelia scheidt van je en trouwt met ... eh, hoe heet hij ook alweer? de man van de Bentley ...'

'Terry. En neem maar van me aan, die kerel bezat nog veel meer dan alleen een Bentley. Cordelia heeft haar hele fortuin van hem.'

'Ja, ze heeft me inderdaad verteld dat ze zijn kapitaal rendabel had gemaakt ...'

'Rendabel, *my ass*. Ik zeg je, alles wat ze bezit was van hem. Ze heeft er geen penny bijverdiend. Het zou me niks verbazen als ze er al niet een flink deel van heeft doorgejaagd.'

'Oké. Maar dat vroeg ik je niet. Ze gaat dus van je weg ... Ten eerste, je stemt dus toe in een scheiding? Waarom?'

Hij nam een flinke slok bier.

'Omdat ik te weinig geld had om onze dochters een behoorlijke opvoeding te geven ...'

Wat krijgen we nou? 'Onze dochters'? Zei hij dat werkelijk: *'our daughters'*? Adam staat verstomd.

'*What*? Hadden jullie kinderen?'

'Ja, twee. En die hebben we nog steeds. Wist je dat niet? Ja ... Ik snap wel dat ze het daar niet met je over heeft gehad. Oké, zo kan-ie wel weer, ik heb er genoeg van. Ik snap eigenlijk niet waarom ik jou dat allemaal zit te vertellen. *Fucking frog*.'

Hij drinkt zijn glas leeg, komt overeind en loopt tegen Adam aan bij het weggaan (Adam weet heel zeker dat de ander hem expres met zijn elleboog in zijn gezicht had gestompt (het doet flink pijn)). Hij zit een beetje verbouwereerd zijn wang te masseren. (Gevaarlijk vak, etnografie, gaat er en passant door hem heen.) Wat heeft dit allemaal te betekenen? Twee dochters? Dus Hare Wreedaardigheid heeft zichzelf geprolongeerd, heeft haar genen doorgegeven aan de komende eeuwen? Twee dochters?

'Ze heeft me dus alles over zichzelf verteld, *behalve dat*?'

Hij zit nog van zijn (smartelijke) verbazing te bekomen als de deur opengaat en de Filosoof plotseling verschijnt. Hij zwaait vriendschappelijk naar Adam en komt bij hem aan tafel zitten, op exact dezelfde plek – hij is nog warm – als waar zojuist de jongleur had gezeten. (Adam vraagt zich heel even af waarom hij die agressieve Engelsman toch zo hardnekkig de 'jongleur' blijft noemen, dat is hij allang niet meer, jongleur; maar goed.)

De Filosoof beweert goedmoedig dat 'het jouw rondje' is (het is helemaal niet mijn rondje, bedenkt Adam, want het is altijd de laatst aangekomene die het rondje voor zijn rekening neemt (dat is een van de regels van de Engelse gastvrijheid, hij had het, trots op zijn ontdekking, gauw in zijn kleine opschrijfboekje genoteerd)); maar oké, hij gaat toch maar een pilsje en een ananassapje halen. Gebruikmakend van zijn hierdoor aanzienlijk gestegen populariteitsmarge, vraagt hij als hij terugkomt aan de Filosoof (die, herinnert hij zich plotseling, Sutton heet), hij vraagt dus aan Sutton of hij iets weet van Toms dochters. De bierdrinker strijkt bedachtzaam over zijn baard en mompelt, opeens doodernstig:

'Ah, dat is een droeve geschiedenis.'

Hij giet een ferme slok van het gele vocht in zijn keelgat (het zou baarddragers toch echt eens verboden moeten worden bier te drinken, het schuim blijft altijd overal in hangen, in baard- en snorharen, in hun mondhoeken, het is meer dan walgelijk (nee maar, Adam vergeet opeens de etnologische neutraliteit in acht te nemen: neemp-u me niet kwalijk)).

'Goed, het is als volgt in zijn werk gegaan. Nadat zijn

vrouw van hem was weggegaan en op grote voet ging leven dankzij het geld van haar tweede echtgenoot, heeft Tom werkelijk uitstekend voor die twee meisjes gezorgd. Ze gingen af en toe bij hun moeder op bezoek, maar ja, het is een feit, die had nooit zo veel tijd voor ze. Tom is toen met de kleintjes naar York verhuisd en is gaan wonen in een piepklein appartementje, zodat ze dan een beetje in de buurt van hun moeder zouden zijn, maar die zat vaker in Londen of Milaan dan in York ... Tom was tegelijkertijd hun vader en hun moeder. Als jongleur kon hij natuurlijk verschillende dingen tegelijk. (Sutton proest het uit, hij moet om zijn eigen inval lachen en leegt meteen in één teug zijn pint bier – 'Het is jouw beurt voor een rondje', liegt hij staalhard.) *But seriously*, Tom heeft, de omstandigheden in aanmerking genomen, echt geweldig werk gedaan. De twee zusjes zijn vrij goed terechtgekomen – ze hadden evengoed de baan op kunnen gaan, waar of niet? Maar toen gebeurde er op een gegeven dag iets heel vreemds. Tom heeft het me verteld, hij snapte er zelf helemaal niets van. Op een keer komt Cordelia langs Betty's (je kent die tent?) en ziet door de ruit haar twee dochters, die thee zitten te drinken. Omdat ze toch even de tijd had loopt ze naar binnen om ze gedag te zeggen, of misschien wilde ze bij hen aan tafel gaan zitten. Ze gaat dus met een vrolijk gezicht pal voor hun tafeltje staan (nee, kijk me maar niet zo aan, in die tijd kon ze nog vrolijk kijken) en toen gebeurde het: de twee meisjes – ze waren toen ongeveer twintig en achttien jaar – de twee meisjes gaan gewoon door met kletsen, alsof er niks aan de hand is. Ze hadden hun moeder heus wel gezien – ze staat daar immers pal voor hun neus, je kunt haar moeilijk over het hoofd zien – maar ze doen net alsof ze lucht is. Het allergekste, zei Tom tegen me, was dat ze de avond daarvoor nog heel normaal met Cordelia over de telefoon hadden gesproken – nou ja, ik zeg normaal ... er is in die familie niks helemaal normaal. Daar staat ze dus, Cordelia, midden in die zaal bij Betty's, iedereen herkent haar; maar haar twee dochters gaan gewoon door met hun gesprek alsof ze een totaal onzichtbaar spook is (misschien druk ik me niet erg duidelijk uit, maar je kunt me toch wel volgen, niet? (*By the way*, waar blijft mijn pils?)). Helemaal in de war draait hun moeder zich ter plekke om en gaat ervandoor. Diezelfde avond belt ze op, Tom neemt de telefoon aan in het kleine appartement, ze wil haar dochters spreken. Tom reikt hun de telefoon aan, maar ze antwoorden in koor: "Wij kennen die mevrouw niet." Merkwaardig, niet? "Die mevrouw!" Er zijn twee dingen die me aan dat verhaal fascineren. *Primo*, dat ze allebei op hetzelfde moment dezelfde houding aannamen; *secundo*, dat het allemaal zo opeens gebeurde, zomaar van de ene dag op de andere; en *tertio* ...'

'Er zijn dus dríé dingen die je fascineren.'

'Pardon?'

'Je zegt toch *tertio*, en je had het daarnet over twee dingen.'

'Verdraaid, je hebt gelijk. Maar dat komt doordat je me in de rede viel, daarom ben ik die *tertio* vergeten. Maar snap jij daar nou iets van? Voor Cordelia was het in elk geval behoorlijk zwaar gedurende een paar maanden. York is niet zo groot, dus ze kwam haar dochters allicht zo'n twee à drie keer per week tegen – en dan speelde zich telkens dezelfde scène af: of ze nou in hun eentje of met z'n tweeën waren, of het nou weer of geen weer was, ze liepen gewoon door, zonder hun moeder een blik waardig te gunnen. Ze had gewoon opgehouden te bestaan. (Waar blijft mijn biertje?) Die pijnlijke situatie bleef bestaan totdat ze met z'n tweeën naar Londen vertrokken. Een van ze zit daar nog steeds, de ander woont momenteel in Exeter, volgens wat Tom me zei. Maar hun gedrag is niet veranderd. Ze zijn dol op hun vader, maar hun moeder is van het radarscherm verdwenen. (Waar blijft verdomme mijn *fucking* bier?)'

Nog helemaal verbaasd van al die onthullingen ging Adam weer een pils voor de Filosoof halen. Toen hij terugkwam zag hij dat laatstgenoemde van zijn afwezigheid gebruik had gemaakt om het aan te leggen met een meisje dat naast hem was komen zitten en in wie hij een van de kappersassistentes herkende met wie ze op een avond hadden zitten kletsen, Daniel Wilson en hij. Hij groette haar heel vriendelijk maar hij was niet in de stemming om te flirten of een gedicht van Auden voor te dragen. Hij wilde er koste wat het kost meer van te weten komen. Hij mengde zich dan ook zonder pardon in het gesprek en slaagde erin de Filosoof weer aan de praat te krijgen.

'En hoe zit het met die Bentley, ik bedoel met Corry's tweede echtgenoot?'

De kappersassistente ging beledigd ergens anders zitten. Sutton krabde aan zijn baard.

'In tegenstelling tot wat je zou denken – en tot wat Tom

erover beweert – hadden ze het samen, Terry en zij, best naar hun zin in het begin. Steeds op reis, hotels, een luxeleventje ... dat ging een paar jaar zo door ... Maar hij is op een gegeven moment helemaal doorgedraaid – maf in zijn kop van de drugs – en toen heeft ze hem naar India gestuurd, zogenaamd voor een therapie. In feite was hij ongeneeslijk ziek, totaal impotent, het beste was om hem maar naar de een of andere ashram te sturen, naar goeroe Boeboe of Huppel-fluppi-Yogi, ik weet nooit hoe-ie ook alweer heet. Corry betaalde die goeroe altijd heel regelmatig. Maar het was tenslotte Terry z'n geld, niet? Ze had hem een paar volmachten van gewapend beton laten tekenen. En dat is hoe ze zo rijk is geworden. Ze heeft het kapitaal rendabel gemaakt ...'

'Maar Tom zei daarnet nog tegen me (hij zei het vandaag nog tegen me, hij zat op precies dezelfde plek als waar jij nu zit!) dat ze helemaal niks rendabel had gemaakt (ja, precies waar jij nu zit!), dat ze dat geld gewoon zat op te maken.'

De baard hief zijn armen ten hemel, met een theatraal maar ook grotesk gebaar.

'Ach, weet je, dat is best mogelijk, ik ben ook de voorzienigheid niet. En van economie heb ik nooit wat gesnapt. En bovendien, wat kan het me ook allemaal verdommen!'

En zo bleven ze nog een tijd zitten kletsen daar in dat hoekje van de Blue Bell, nu eens alleen, dan weer in gezelschap van een paar vage kennissen die even bij hen aan tafel kwamen aanschuiven. Corry liet zich niet zien, want die zat in Londen voor zaken. De Trainspotter kwam heel laat op de avond ook nog opdagen. Hij zat midden in een verhaal over locomotieven toen de barman brulde:

'Last orders!'

10

Gruwelnacht

Vandaag wordt het varken gekeeld. Cordelia heeft Adam gisteren in de Blue Bell voor het blok gezet:

'Morgenavond eet je bij mij. Dit keer ga je eraan geloven. Er komt niemand anders, we zijn met z'n tweetjes. Het is nu of nooit (*now or never*). Dacht je soms dat we zo kunnen doorgaan, dit wordt echt te gek. En ik maar trakteren, en jij maar nemen, steeds maar nemen! Weet je wat jij bent: een parasiet! Vanavond is het jouw beurt om eens iets te géven.'

Adam heeft er een hekel aan om voor parasiet te worden uitgemaakt. (Dat herinnert hem maar al te veel aan een kwinkslag van de een of andere oriëntalist: 'De Arabier is de parasiet van de kameel.' Hij heeft nog nooit van zijn leven een kameel gezien – dat is werkelijk waar – maar in de verbeelding van sommige Europeanen zit dat beestje onverbrekelijk aan hem vastgeplakt. Een van zijn collega's aan de universiteit zei gisteren nog tegen hem: 'Ik heb een paar jaar geleden geprobeerd Arabisch te leren, maar daar ben ik algauw mee gestopt: het heeft een veel te rijke woordenschat. En het is erg *confusing*: elk woord betekent iets, het tegenovergestelde van dat iets en ook altijd een bepaald type kameel.' Algemene hilariteit in de *Senior Common Room*, waar de wetenschappelijke onderzoekers en de hoogleraren altijd lunchen. Doctor Serghini produceert een soortement grijns, maar hij weet niet of hij moet lachen of huilen.)

Cruella's tirade staat in zijn geheugen gegrift, als een brandmerkteken. Trouwens, wat bedoelt ze daar eigenlijk mee: 'En jij maar nemen, steeds maar nemen ...?' Wat heeft hij dan genomen? Hij was altijd degene die betaalde als ze ergens gingen eten of zelfs maar een kopje koffie dronken, krachtens het adagium (háár adagium dan wel) dat wil dat 'een dame nooit voor een heer betaalt', al was die dame ook miljardair en die heer zo arm als Job op zijn mestvaalt. Maar vooral: hij heeft haar toch zijn tijd gegeven, het allerkostbaarste waarover hij beschikte? Al die uren dat hij naar die halvegare heeft zitten luisteren met haar gedaas over *Imil Zoula* of Bourguiba, de koning van Marokko, of de mode, die had hij veel beter kunnen besteden aan het lezen van een goed boek (*Germinal* bijvoorbeeld, of *Nana* ...). Hij heeft haar wel eventjes meer gegeven dan die paar happen ranzige couscous waarop ze hem heeft getrakteerd

Hij stond op de afgesproken tijd voor haar deur. Hij had uitgebreid de tijd gehad om na te denken, daar in zijn kleine appartementje op de campus. Hij had de gebeurtenissen van de laatste weken als een film aan zich voorbij laten gaan. De ontmoeting in de Blue Bell, de vernedering van Daniel Wilson, de hele stortvloed aan beledigingen en vernederingen, de verbanning van de lieve Emma ... 'Het uur der wrake had geslagen!' (Dat was een van zijn lievelingsgezegden, het deed hem denken aan de avonturenverhalen die hij in zijn jongensjaren altijd had verslonden.) Terwijl hij zo zat te wachten tot het tijd was om richting York te gaan, ontstond er een duivels plan in zijn brein. (Zo duivels was het eigenlijk ook weer niet: het was alleen maar gebaseerd op een western die hij op een keer als kind had gezien en waarin de held door zijn onbewogenheid steeds alle gevechten wist te winnen. Wat was dat toch een prachtwoord: *onbewogenheid*.)

~~'het duivelse plan'~~
'Serghini de onbewogene'

Na het diner zou hij net doen alsof hij Cruella's spelletje meespeelde. Hij zou zijn kleren uittrekken, zou een douche gaan nemen en dan de slaapkamer in gaan, heel gedwee, met neergeslagen blik, als een kuis en welopgevoed weesmeisje dat Onassis met een paar honderd miljoen dollar voor zich probeert te winnen en dat op het punt staat te bezwijken.

Een paar meter voor de koninklijke bedstede zou hij blijven staan. De mensenverslindster zou zich hebben uitgestrekt op een sprei van zeboehuid die het equivalent moest hebben gekost van wat Adam in een heel jaar verdiende (zoals hij haar kende zou ze hem dat detail niet hebben bespaard), ze leunde met haar hoofd tegen een van de stijlen van haar baldakijnbed, er hing een sigaret tussen haar lippen. Dat was het moment van haar triomf (een allesbehalve bescheiden triomf). Ze zou hem van top tot teen en met een hautaine blik opnemen, maar (toch) niet geheel zonder welgevallen. Hij is namelijk een regelmatige bezoeker van de gymnastiekzaal van de campus, de schone Adam, want in zijn vrije uren had hij toch niet veel anders omhanden. Hij kan nog wel een spiertje laten rollen zo hier en daar. En zijn voorouders hadden hem misschien geen koninkrijk of een karamellenboetiek meegegeven, maar wel een allerfraaiste, naturel gebronsde huid.

Maar wat haar betreft ... Hij probeert zich een foeilelijke toverkol voor te stellen, gehuld in een minuscuul tangaslipje en met push-ups in haar beha ... Een paar maanden geleden had hij nog een passage uit de *Duizend-en-eennacht* overgeschreven, de oorspronkelijke versie welteverstaan, niet die verminkte tekst die die grappenmaker van een Galland er met zijn verwarringscheppende vertaling van had gemaakt: 'Er kwam een oude vrouw bij me; tjonge, dat was me er eentje! Een gezicht van oude lappen, wenkbrauwloos, verstarde blik, anderhalve tand in haar mond, overdekt met sproeten, tranende ogen, lijkbleke kop, grijze haren, schurftige, gelig verschoten huid, uitgezakte pens, een sliert snot aan haar neus ...'

Ho maar, zo kan ie wel weer ... Goed, geeft Adam toe, die zijn duivelse plan aan het uitwerken is, het is misschien een beetje te veel van het goede als beschrijving (Cordelia is noch oud, noch lelijk), maar ze heeft hem er zo van laten lusten dat hij zich verbaal wreekt, het woord is zijn enige wapen.

Hij zou daar doodstil blijven staan (denk aan: de onbewogen cowboy). Dat zou haar flink opwinden, Cruella. Maar ten slotte zou het haar beginnen te ergeren. Zelfs de beste dingen hebben een eind, niet? ... Ze zou haar arm uitstrekken en hem kortaf bevelen:

'Kom!'

En dan opeens, als een donderslag bij heldere hemel, zou Adam zich weer beginnen aan te kleden. Zoiets als het negatief van een striptease dus ... In omgekeerde volgorde ... Een terugdraaiende film, sciencefiction in Yorkshire, in het dierbare York ... *È finita la commedia!* Doek! Hij zou op de deur afstevenen, zou zich tergend langzaam omdraaien, zonder een woord, net als Clint Eastwood, de langzaamste acteur van de hele wereld, die had van een gebrek, of je kon ook zeggen van die kwaliteit, zijn sterkste troef gemaakt in de westerns oude stijl waarin hij altijd speelde. Ze zou haar ogen niet kunnen geloven, Cordelia. Ze zou er niks van snappen. *What the hell is going on?* Intuïtief zou ze haar hand uitsteken naar haar nachtkastje en de daarop liggende juwelen strelen, om zichzelf eraan te herinneren dat ze rijk was en dat het niet aan die miserabele Moorse boerenpummel was om hier zomaar het initiatief te nemen.

Dat was het moment waarop hij die ene zin zou afvuren die hij al die tijd al in zijn mond had laten ronddraaien, zoals Demosthenes zijn kiezelsteentjes. Het zou er zonder haperen, heel nauwkeurig uitkomen en zich vastbranden in het verwrongen brein van die duitendief, het zou aan haar blijven vreten, haar nooit meer loslaten, ah! ik zal je wel kleinkrijgen, gajes dat je bent, ik zal jou eens een lesje in nederigheid geven, met je miljard en al ...

'Waar het u aan ontbreekt, mevrouw, dat is goedheid.'

Bam, recht voor d'r raap!

(Een variant erop: *'Serghini, mevrouw, is een vrij man.')*

O, wat een ogenblik van opperste schoonheid! O, aan een bliksemschicht gelijk! O, moment van eeuwigheid! Daar lag ze dan, die vrouw, vastgenageld aan haar baldakijnbed, gekruisigd! Tienduizend miljoen opgelost in het niets! Nanodollars! *Nada*! Een nietswaardig, krachteloos vod, die hele greenbackvaluta ...

'Waar het u aan ontbreekt, mevrouw, dat is goedheid.'

Rats, midden in de roos! Een zin sir Lawrence Olivier waardig, of die ene Franse acteur wiens naam hem is ontschoten, die acteur die zo'n schitterende dictie had en die hem zo diep had getroffen in *Tous les matins du monde.*

Hij zou bij het verlaten van Cruella's paleis de deuren één voor één keihard dichtknallen. Adam Serghini zou in zijn *furia francese* die hele brandkast zo op zijn grondvesten laten trillen dat het stof van alle Shelleys en Miltons en andere wiegendrukken af zou vliegen ...

De taxichauffeur zou op weg naar de campus aan hem vragen:

'Hebt u een gezellige avond gehad?'

Ja hoor, erg gezellig.

'Dat is te zien aan uw glimlach', zou die poëet eraan toevoegen.

Hij zou die *cab driver* een vorstelijke fooi in zijn hand stoppen. *Goeie hemel, straks zegt hij nog 'uwe hoogheid'* ...

De rijkste vrouw van Yorkshire ... Nou, waar blijft-ie dan, die rookwolk van je! Adam genoot bij voorbaat al van zijn wraak.

'Dan had je me maar niet die sigarettenrook in mijn gezicht moeten blazen, dame! Had je Daniel Wilson maar niet zo moeten vernederen! Had je maar een goed mens moeten zijn! Had je maar geen kwaad moeten spreken van De Gaulle! Had je maar niks over kamelen tegen me moeten zeggen! Had je me maar niet *sweet* Emma moeten afpakken!

THE END

---

en nu wat er werkelijk is gebeurd

Net op het moment dat hij op de deur wil gaan kloppen (nee, wil gaan aanbellen; kloppen is er niet meer bij in onze tijd), gaat genoemde deur open en verschijnt een afwezige blik in een ontredderd gezicht dat hij eerst niet eens herkent. Het is dat van Cruella. Wat is er aan de hand? Ze is lijkbleek, haar mascara is doorgelopen (Adam had altijd gedacht dat zoiets alleen maar in films gebeurde), haar mond is pijnlijk verwrongen, haar haarknoetje – altijd onberispelijk – is in de war. Haar verwilderde haardos geeft haar een medusahoofd. Het lijkt alsof ze staat te wankelen, terwijl ze in feite niet beweegt. Ze heeft een halflege fles wodka in haar hand.

'Ik zat op je te wachten', zegt ze.

Ze grijpt zijn arm vast en prevelt op holle toon:

'Kom binnen, kom binnen.'

Leunend op zijn arm brengt ze hem naar de keuken op de begane grond, laat zich op een stoel vallen (hij blijft staan) en zegt op dezelfde toon tegen hem:

'Weet je het dan niet?'

'Wat weet ik niet? Ik heb de hele dag sommen zitten maken op mijn computer.'

'Ah, dus je weet het niet ...'

Ze zet de wodkafles op tafel, probeert een sigaret op te steken, maar haar handen beven zo erg dat ze haar aansteker niet aankrijgt. Ze smijt hem weg en gaat haar sigaret aan de oven aansteken, op het gevaar af in brand te vliegen. Maar ze schijnt zich nergens meer iets van aan te trekken, ze verkeert in grote paniek of is ten prooi aan een immens verdriet. Ze laat zich weer op haar stoel vallen.

'Oké, het komt in 't kort hierop neer: Tom is er vanochtend heel vroeg, bij zonsopgang, vandoor gegaan, nadat hij eerst het hele huis heeft leeggehaald. (Daar had je dus wat aan om zo *alarmed* te zijn als je op die manier door je eigen invités kon worden bestolen, zegt Adam bij zichzelf.) Ik was niet thuis, ik heb de nacht in Londen doorgebracht ... Hij heeft ook de BMW meegenomen. Hij heeft hem helemaal volgestouwd en is er toen vandoor gegaan. Met al mijn juwelen, al mijn goud, al mijn geld ...'

Adam kijkt om zich heen. Het is een flinke rommel daar in die keuken. De vloer ligt bezaaid met van alles en nog wat, aanstekers, stukken papier, batterijen, flessenopeners ... Op de tafel staan, in bruine papieren boodschappentassen, nog de boodschappen, die daar waarschijnlijk neergezet zijn door een van haar employées. Ze heeft ze met geen vinger aangeraakt.

'Geen etentje vanavond', stelt Adam verbouwereerd vast.

Hij laat zijn blik nog een keer door de ruimte gaan. Zo,

dus zo ziet het eruit na een inbraak?

'Hij heeft die Hockney daar (wijzend) laten hangen.'

'Had-ie een bloedhekel aan ...'

'Hield hij niet van zijn stijl?'

'Nee, hij hield niet van de man, van Hockney zelf, van David bedoel ik. (Ze trekt aan haar sigaret.) Maar dat is niet alles. Gustave is ook verdwenen.'

Het duurt even voordat Adam weer weet wie Gustave is, o ja, de kelner (en de beheerder?) van La Baguette. Juist ja, die jongeman die steeds zo woedend naar me keek ... Hij vindt het allemaal nogal merkwaardig. Dat zegt hij ook:

'Waar maak je je druk over? Laat-ie naar de pomp lopen, die Hongaar. Het gaat vooral om Tom.'

'Maar Gustave is er met de kas vandoor. Snap je het dan niet, imbeciel die je bent? La Baguette is mijn eigendom. Nou ja, was mijn eigendom ... Vanwege alle schulden die Gustave heeft gemaakt – dat heb ik pas een paar dagen geleden gehoord – en nu hij 'm met het geld is gesmeerd, is het eerder de bank die eigenaar is van La Baguette ... En dat na alles wat ik voor hem heb gedaan ...'

Ze zet de fles wodka aan haar mond, neemt een flinke slok. De tranen stromen over haar wangen. Zou ze echt iets voor die Gustave voelen? Of is ze meer onder de indruk van het verraad van de jongleur? Of is het het geld, zijn het de juwelen? En de BMW? Adam snapt er niets van.

'Ik heb mijn kinderen opgebeld (weet je dat niet, ik heb twee dochters (ja hoor, dat weet hij, sinds vorige week, maar hij zegt niets)), ja, ik heb ze toch durven bellen, wat kon ik anders doen, ondanks dat we al jaren niet meer met elkaar spreken, en ik heb ze gevraagd of ze hun vader hadden gezien. En toen zeiden ze tegen me ... (Ze snikt.) Ze zeiden tegen me ... Toen zeiden ze tegen me dat ik naar de duivel kon lopen, *go to hell*, dat ze nooit meer iets van me wilden horen. Ze zeiden allebei precies hetzelfde, de een na de ander, de een vanuit Exeter, en de ander vanuit Londen, alsof ze dat met elkaar hadden afgesproken. Ze hebben allebei de hoorn op de haak gegooid (ze neemt een slok), allebei ... Ik had gehoopt dat dit een gelegenheid zou zijn om het allemaal weer bij te leggen, met die vader van ze die me zo'n gemene streek heeft geleverd, ik had vaag gedacht dat als ik ze zou opbellen, dat ik dan, als ze me het zouden vragen tenminste, dat ik het hem dan zou vergeven, dan zou ik niet naar de politie gaan ... En dan zou ik ze hebben gevraagd om hier te komen, om erover te praten ... Dan zouden ze hier de nacht hebben doorgebracht, er zijn genoeg lege kamers hier in huis, waar ze zouden kunnen overnachten ... Maar niks, het is uit. Ik zie nu ook wel dat het echt uit is. *It's over* ... Voor altijd.'

Merkwaardig, die eenheid van handeling in deze hele geschiedenis: het leek wel alsof Gustave, Tom en de dochters van Cordelia allemaal in hetzelfde toneelstuk speelden. Dit is toch vrij ongelooflijk. Op een en dezelfde dag! Misschien dat Tom er samen met Gustave vandoor is? Adam zegt het hardop. Ze kijkt hem met grote ogen aan, de haren rijzen haar te berge. Dat zou helemaal het toppunt zijn: een complot!

'*My God*, je hebt waarschijnlijk gelijk. Ik heb ze inderdaad verschillende keren met elkaar zien fluisteren.'

'Denk je dat ze iets met elkaar hebben?' vraagt de (gewoonlijk) uiterst discrete Serghini, maar die zich vanavond met dit zich ter plekke afspelende drama in staat voelt allerlei, zelfs de meest scabreuze, scenario's te bedenken en te suggereren.

Cordelia's ogen zijn nog steeds groot van verbijstering, haar haardos wordt steeds wilder, maar ze schudt haar hoofd, haar mond vertrekkend tot een grijnslach.

'Gustave zie ik er wel voor aan, dat is een Fransman, die is tot alles in staat. Maar Tom, nee: die is echt *straight*, rechttoe, rechtaan. Dat kun je van me aannemen. Hij had een bloedhekel aan *faggots*.'

(Dat wil niks zeggen, denkt Adam bij zichzelf.)

'Heb je de politie gewaarschuwd?'

'Ach wat, imbeciel die je bent, wat kan me die hele politie nou verdommen. Het is voorgoed uit nu. Tom was alles wat ik nog had. Hij was de man van mijn leven. *The only man I ever loved.*'

Omdat ze nu toch schoon schip aan het maken is, maakt Adam, laf als hij is, van de gelegenheid gebruik om een raadsel op te helderen waarmee hij allang in zijn maag zit.

'Hoezo, *the man of your life*? Het begon toch met een verkrachting?'

Ze kijkt hem stomverbaasd aan.

'Hoe kom je nou weer aan dat gruwelverhaal?'

'Van jou! Heb je in de pub verteld!'

'En jij gelooft zomaar alles wat je verteld wordt? (Nou en of, denkt Adam, daar ben ik toch etnograaf voor?) Wat er in de pub wordt verteld, slaat nergens op. Alles is goed, als er maar gedronken wordt.'

Opeens herinnert ze zich dat er nog een fles wodka op

tafel staat, ze komt wankelend overeind, graait hem naar zich toe en zet hem aan haar mond.

'Bovendien was Tom de enige die me nog af en toe iets over mijn dochters vertelde. Hij was alles voor me.'

'Maar waarom dan toch al die vernederingen, al die kwaadsprekerij, en waarom laat je hem dan in die hut in je tuin wonen?'

'Jij stomme idioot, snap je dan helemaal niets? Hij wil hier zelf niet wonen! Ik heb hem wel honderd keer gezegd dat hij hier in huis kon komen wonen ... (Ze snikt.) Maar nee, hij wou er niks van weten ... Maar toen hij uit zijn appartement werd gegooid, ging hij ten slotte toch maar akkoord met die tuinhut. Hij was aan de drank, betaalde zijn huur niet meer, en toen hebben ze hem uiteindelijk op straat gezet ... Op een gegeven moment zag ik hem buiten op een bank liggen slapen, in het park van de kathedraal. Ik heb hem toen gesmeekt bij mij in huis te komen. Ik heb een week lang moeten soebatten voordat hij ten slotte toegaf. Maar alleen in dat hutje, meer ook niet, zei hij. Hij heeft nooit een voet in mijn huis gezet. Geen voet! (Ze maakt een soort droevig keffend geluid.) Tot vannacht! Ik snap het niet ... Hij kon alles van me krijgen. Alles! Waarom denk je dat ik die luxewagen daar in de garage heb staan? Ik heb zelf niet eens een rijbewijs! Een BMW! Die heb ik alleen voor hem gekocht, maar hij heeft zelfs de sleuteltjes niet aangeraakt ... Hij weigerde alles, hij zei dat het verradersgeld was (ze houdt even haar tranen in om een slok alcohol te nemen), hij noemde het satansgeld!'

'Maar nou heeft hij het toch maar gepakt, *the devil's money*.'

'Dat is waar, het is vast Gustave die hem zover heeft gekregen. Die schoft van een Gustave! Wat heeft die niet allemaal aan mij te danken ... Als ik er niet was geweest stond-ie nog hamburgers te verkopen bij het station ... Ik denk dat ze nu wel het Kanaal over zullen zijn, ze zitten waarschijnlijk in Frankrijk (of in Hongarije of Armenië, verbetert Adam haar bij zichzelf), buiten schot ...'

Ze is nu echt stomdronken.

'Goeie god, dat ik dit niet heb zien aankomen! *I am a complete, utter failure.*'

Ze gilt het uit, met lange uithalen, als een derderangs actrice, nu eens gaat het over dit, dan weer over dat.

'Wat heb ik helemaal aan die *fucking* BMW! Ik kan niet eens rijden! Hier, Tom, neem 'm dan, hij is voor jou! (Adam kijkt er wel voor uit haar eraan te herinneren dat Tom dat nou juist heeft gedaan.) *Take it and go to hell!* Jullie allebei! Jij en Gustave!'

Ze sleepte zich huilend en wel door de keuken, tegen stoelen opbotsend, zich aan de tafel vastklampend. Ze pakte de wok (*nee! niet de wok!*) en probeerde hem kapot te slaan tegen de gootsteen. De gootsteen incasseerde een flinke dreun, maar het kookgerei overleefde het toch. Ze smeet het tegen de grond, krabbelde met moeite weer overeind, schonk zich een glas wijn in, draaide zich om en stond opeens oog in oog met het schilderijtje dat een blonde jongeling uitbeeldde die op het punt stond in een azuurblauw zwembad te duiken.

'Wat heb ik aan al die schilderijen van me? Ik heb een bloedhekel aan schilderijen. Ik heb er nooit iets van gesnapt.'

Pats! Ze gooit de inhoud van haar glas pardoes over de Hockney, die opeens de meest onverwachte kleuren vertoont – het zwembad is bordeauxrood geworden, wat niet erg courant is. (Heb je eigenlijk het recht om kunstwerken te beschadigen of te vernietigen, vraagt Adam zich af, ook al zijn ze je eigendom? Daar moet ik eens mijn licht over opsteken. Er schijnt een Japanner te zijn die zich samen met zijn Van Gogh wil laten cremeren, dat had Adam tenminste de vorige dag in de krant gelezen.)

Cordelia raast maar door.

'*I am a complete, utter failure* ... (Ze barst opnieuw in tranen uit.) *I am a shit.*'

Neemaar ... Adam springt overeind, zoiets heeft hij nog nooit iemand over zichzelf horen zeggen. Dit is echt voor het eerst. Dat gaat wel erg ver ... *I am a shit* ... Ik ben een stuk stront ... Jezelf zo afvallen ... Nee, zegt hij bij zichzelf, dit had ik toch liever niet willen meemaken, ook niet als etnograaf.

Plotseling prevelt ze:

'*I want to die.*'

Dit treft Adam toch diep. 'Ik wil dood', zei ze. Hij is er helemaal ondersteboven van. En kijk eens aan, daar begint Serghini, die nooit een goede bestaansreden voor zichzelf heeft kunnen bedenken, plotseling de ene na de andere bestaansreden te verzinnen ten behoeve van een vrouw die hij nog maar een half uur geleden een gewelddadige dood had toegewenst:

'Kom nou, Cordelia, hou toch op ... Het leven is toch mooi ... Denk aan Moeder Natuur, de vogeltjes, twiet-twiet ... Mooie reizen maken, met vakantie gaan ... Liefde en vriendschap, en trali en trala ... De geur van koffie in de ochtend ... Literatuur, muziek ...'

Het lijkt alsof ze hem niet hoort. Ze mummelt:

'Gelukkig ben jij er nog.'

En opeens, nee, het is ongehoord, ongelooflijk, je houdt het niet voor mogelijk, ze zegt:

'JIJ BENT MIJN ENIGE VRIEND.'

Hij heeft het niet gedroomd. Ze zei het echt, woordelijk: *'You are my only friend.'*

De vrouw die hij in de voorgaande weken in zijn dromen had willen vernederen, nat had willen zeiken, eigenhandig had willen wurgen, in een kerker willen gooien, met een diepvrieshagedis haar hersens had willen inslaan, diezelfde Cruella op wie hij al zijn rancune had geconcentreerd, die kijkt hem nu met ogen vol tranen aan, na te hebben gezegd:

'JIJ BENT MIJN ENIGE VRIEND.'

Opeens voelt hij een golf van medelijden in zich opwellen. (Terwijl hij juist altijd zijn uiterste best doet zich niet door dat verraderlijke gevoel te laten besluipen; als dat gebeurt gaat het verstand op nul.) Maar toen hij besefte wat er voor een afgrond van verschil gaapte tussen wat deze gebroken vrouw meende te zien en wat de eigenlijke werkelijkheid was, toen braken plotseling de dijken door en werd hij meegesleurd door een immense golf van medelijden. Zij was opeens geen Engelse meer en hij geen ontdekkingsreiziger. Hier was een mens aan het lijden, punt uit. Ze snikte vol overgave. Langzaam maar zeker gleed ze langs de muur onderuit, pal voor Adams neus – af en toe viel er een druppeltje wijn van de Hockney op haar haar – totdat ze als een soort ontredderde ledenpop op de grond zat, met haar linkerbeen vreemd onder zich opgevouwen, en haar rechterbeen voor zich uitgestrekt. Ze was opgehouden met huilen. Ze zat als verdoofd voor zich uit te kijken. Ze hield met haar ene hand de steel van de wok vast, die daar op de vloer lag.

Helemaal in de war hurkte Adam naast haar neer. Hij wilde haar op haar schouder kloppen ('Kalm maar! Rustig maar!'), maar ze pakte zijn hand beet, drukte die tegen zich aan en sloot haar ogen. We vormen vast een interessant tableau, zo met z'n tweetjes, dacht hij bij zichzelf. Een schitterende allegorie: 'De autochtoon getroost door de vreemdeling', 'De piëta van York', of iets in dat genre (of misschien was het meer iets in het genre van 'De *wog* en de *wok*'). Hij wist niet wat hij moest zeggen. Ze kon hem trouwens toch niet horen. Na een paar minuten begon ze te snurken.

Hij moest haar in bed zien te krijgen. Eerst wilde hij de jongleur gaan halen, zodat die hem zou kunnen helpen zijn ex-vrouw naar de derde verdieping te vervoeren, maar opeens herinnerde hij zich dat die schoft er met de Engelse trom (zou je misschien kunnen zeggen) vandoor was gegaan en dat dat zelfs de reden was dat hij, Adam, zich daar in zo'n vreemde situatie bevond. Alle kracht die hij nog in zich had verzamelend, pakte hij Cordelia onder haar oksels en onder haar benen beet en tilde haar op. Het kostte hem niet veel moeite. Ze was zo licht als een veertje, die vrouw die in de stad en in het graafschap zo'n zwaargewicht was. Behoedzaam schuifelde hij de keuken uit en begon de trap op te lopen. Op de eerste verdieping aangekomen leek ze enigszins uit haar verdoving te ontwaken en begon zachtjes te kreunen. Hij vervolgde zijn klim trapopwaarts. Ze viel weer in slaap. Aangekomen in de slaapkamer legde hij haar voorzichtig in het baldakijnbed. Ze rolde zich op in de foetushouding. Hij legde een grote sjaal over haar heen die op een fauteuil bij het raam lag.

Zonder zich te haasten liep hij de trap af. Voordat hij naar buiten ging, zorgde hij ervoor de lichten in de keuken uit te doen. Het lijkt hier wel een slagveld, dacht hij bij zichzelf. Maar wie had er eigenlijk gewonnen, wie verloren?

Op straat riep iemand naar hem.

'Taxi, sir?'

Hij zwaaide vaag met zijn hand. *No, thank you.*

Hij had behoefte aan veel frisse avondlucht. Onder het lopen door de weilanden in de richting van Heslington was er, naast een gevoel van gêne, van medelijden en nog andere emoties die hij niet goed kon benoemen, een heel simpele, logische vraag die hem maar niet losliet. Tom kon alles krijgen wat hij maar wou, hij hoefde maar uit zijn hut te komen, het huis door de grote toegangspoort te betreden (zo kon je dat toch wel zeggen) en zich daar tot het einde van zijn dagen vestigen. Waarom moest hij dan zo nodig inbreken, de boel wegslepen en er halsoverkop vandoor gaan? Adam gaf zichzelf tot aan het toegangshek van Vanbrugh, het *college* waar hij zijn appartementje had, om het raadsel op te lossen. Als het hem lukte, zou dat het bewijs zijn dat zijn project een succes was, dat hij de Engelsen doorgrond had en een kenner was geworden van deze hartverwarmende stammengemeenschap.

Aangekomen bij het hek van Vanbrugh snapte hij er nog steeds niets van.

11

Maak dat je wegkomt!

Het was al nu enige maanden geleden dat Adam de ongelukkigste vrouw van Yorkshire was tegengekomen in de Blue Bell, waar hij geen voet meer over de drempel zette. Het was hem echt te veel, hij kon haar niet meer zien. Ze belde hem nog een paar keer op, hoezeer dat ook in strijd met haar principes was ('een vrouw belt nooit een man op'), maar hij had niet opgenomen. Het was lente geworden, de stad York was schitterend om te zien, maar hij ging gebukt onder een onbegrijpelijke neerslachtigheid (af en toe moest hij aan de kleine Emma denken, maar dat was niet de reden dat hij zich zo verdrietig voelde).

Er was één vraag die hem voortdurend kwelde: wat had hij precies te maken gehad met deze hele geschiedenis? Had hij in enig opzicht meegewerkt aan Cordelia's ondergang? Hij hoopte van ganser harte van niet. Een oude wensdroom uit zijn kindertijd kwam weer bij hem terug: wat had hij graag gedurende al die weken onzichtbaar willen zijn, dan had hij alles kunnen zien zonder zelf gezien te worden! Maar omdat dat nu eenmaal niet mogelijk was, had hij het liefst een totaal ongevaarlijke figuur willen zijn, iemand van hoegenaamd geen belang, *irrelevant* zoals de Engelsen zeggen, net zoals sommige van die heel discrete collega's op de universiteit van hem, die je af en toe weleens tegenkwam in de Senior Common Room of tijdens de een of andere vergadering en van wie je pas na een paar maanden merkte dat ze verdwenen waren.

'Peter Smith? Maar die zit al een semesterlang in Australië!'

Ongevaarlijk, onopvallend, zonder enige relevantie ... Soms stelde hij zichzelf gerust: inderdaad, zo was hij ten voeten uit, hij had dus helemaal niks te maken met wat er de afgelopen maanden was gebeurd. Trouwens, de politie, waarschijnlijk helemaal op de hoogte van de affaire (er was tenslotte sprake van een diefstal met braak), had het niet nodig gevonden hem te ondervragen, maar misschien had Cordelia gewoon geen aanklacht ingediend. Hij stelde zichzelf gerust: aan hem lag het niet, hij had de wereldorde niet verstoord. Maar er waren toch een paar details die hij niet met elkaar in overeenstemming kon brengen om het geheel kloppend te maken en die lieten hem maar niet los. Neem bijvoorbeeld die onuitgesproken vijandigheid van de jongleur, dat had hij zich toch niet verbeeld! En was het nou gewoon onhandigheid geweest of opzet, die elleboogstoot midden in zijn gezicht, die avond in de Blue Bell, toen Tom zo zijn hart had zitten uitstorten? En die verbeten stiltes van hem, die steelse blikken? En wat Gustave betreft, die had er mooi voor uitgekeken om diens informant te worden, die had juist alles gedaan om hem te ontlopen, na die avond waarop ze 's avonds met z'n tweeën in La Baguette hadden gegeten, Cordelia en hij. Hij had hem verschillende malen in de stad gesignaleerd, maar Gustave was elke keer aan de overkant van de straat gaan lopen of had, als ze elkaar op straat tegen het lijf dreigden te zullen lopen, zich plotsklaps een heel belangrijke boodschap herinnerd en was halsoverkop de een of andere winkel binnengestormd. Hij had nooit zo veel aandacht aan die dingen geschonken, maar nu stonden ze hem opeens levendig voor de geest.

Maar belangrijker nog, wat was hij voor Cordelia geweest? Hij vond het opeens vreemd dat hij zich dat nooit echt had afgevraagd. Wanneer hij dan tegen het eind van de middag zijn computer uitzette en op weg ging naar York, dan wist hij steeds min of meer waar hij naartoe ging en waarom hij naar die pub toe ging, het was omdat hij wist dat hij daar de mensen zou aantreffen die hem zo fascineerden en vooral haar, die vrouw die zichzelf als een koningin zag. Maar hoe zat het met haar? Waaraan dacht ze als ze hem zag binnenkomen? Wat ging er dan in haar om? Ze liet nooit iets merken, geen spiertje in haar gezicht dat vertrok, nooit het minste geringste glimlachje. Maar intussen had ze er steeds wel voor gezorgd – dat besefte hij nu opeens – om een plaatsje vrij te houden, naast of tegenover zich. Wat was hij eigenlijk voor haar? Een vertrouweling, een uitlaatklep? Toen ze in die tragische nacht van haar zo buiten zichzelf was geweest, had ze tegen hem gezegd dat hij haar enige vriend was, tot zijn grote verbazing. Zou dat echt waar zijn?

Die vragen bleven maar rondmalen in zijn hoofd. Hij voelde zich niet meer op zijn gemak in York. Er was iets helemaal mis. Hij zwierf als een dolende ziel op de campus rond. Hij had alleen nog maar een excuus nodig om ervandoor te gaan.

Dat excuus deed zich na enige tijd voor. Op een keer dat hij in het park achter de kathedraal wandelde en zich net met een boek in zijn hand op een bankje wilde gaan installeren, werd hij opeens agressief door een stelletje planten lastiggevallen.

'Sodemieter op jij!' riep een stelletje bloemen vanachter een bosje.

'Pardon?'

Werd hij nou gek? Daar in dat zonnige, maar nog wat frisse park, waar ze met honderd tegen één waren, honderd bloemen en hij, vormden eerstgenoemden aan de andere kant van dat bankje op zwierige wijze de volgende woorden:

FUCK OFF

Oftewel: *sodemieter op*, in het Engels dan.

Hij stond met open mond naar die narcissen te staren.

Wat! Kon dat eigenlijk wel, zo'n stelletje bloemen dat me daar zomaar ongestraft de voorbijgangers staat uit te schelden? Hij ging de parkwachter in zijn wachthuisje waarschuwen. Zonder de moeite te nemen uit zijn wachthuisje te komen, legde de wachter het hem op flegmatische toon uit: afgelopen najaar hadden drie straatboefjes die veroordeeld waren tot het verrichten van werkzaamheden in het algemeen belang onder veel stiekem gegrinnik en gegiechel bloembollen in dit park geplant. De opzichter van de plantsoenendienst die erop moest toezien dat ze hun straftaak naar behoren uitvoerden had niets gemerkt van hun kleine opzetje. Hij had ze misschien zelfs gefeliciteerd met hun ijver. Toen het lente was geworden en de boeven allang niet meer te achterhalen waren, waren de bloemen ontloken en nu stonden ze me daar toch met z'n allen te schelden dat hun stampers er groen en geel van zagen, zootje smerige narcissen, stelletje gemene *daffodils*.

Het leek Adam dat geweld hier de enige oplossing was, een idee dat hij verduidelijkte door zijn vuist te ballen en een van beneden naar boven gaande beweging te maken met zijn onderarm. De parkwachter kreeg zowat ter plekke een rolberoerte.

'Ze uitrukken? *Flowers* uitrukken? Dat meent u toch niet!'

'Waarom niet? Ze schelden de voorbijgangers toch uit?'

'Ze kunnen er niks aan doen. Ze weten niet wat ze doen.'

'Ze weten niet wie ze zíjn. Maar dat weten wij ook niet van onszelf. Niemand weet dat.' (Het is duidelijk dat Adam nog steeds met zijn probleem zat.)

De parkwachter haalde zijn schouders op en dook weer terug in zijn *Sun*, totaal niet geïnteresseerd in een filosofische discussie met een vreemdeling. Ze zaten tenslotte niet in de pub. Adam hield nog even aan, een kwestie van principe.

'Maar kunt u er niet toch een paar uitrukken, zodat ze niet meer die lelijke woorden vormen?'

De man keek op uit zijn krant, kwam uit zijn wachthuisje, ging vlak voor Adam staan en nam hem wantrouwig op.

'Wat bedoelt u precies?'

'Nou, als u er nou gewoon een paar zou weghalen, dan zou dat het hele probleem oplossen. Als u even met me mee wilt gaan ...'

De parkwachter ging met Adam mee, zware stap, gefronste wenkbrauwen, hij hield hem scherp in de gaten. Toen ze ter hoogte van het bloemperk waren aangekomen, aan de andere kant van het bosje, wees Adam naar drie narcissen:

'Als u nou die daar en die daar, heel voorzichtig natuurlijk, zou uitgraven, dan zou er in plaats van *fuck off iuck off* staan.'

'U bent duidelijk niet van hier. Wie *iuck off* leest verbetert het automatisch bij zichzelf in *fuck off*. Dat maakt dus niks uit.'

'Oké, maar als u nou ook die twee daar (hij wijst) weghaalt, dan staat er alleen nog maar *iuck oii*. Je moet wel heel erg negatief ingesteld zijn als je in *iuck oii fuck off* wilt zien.'

'Akkoord, al heb je ook mensen die zo negatief ingesteld zijn dat ze zelfs in een klein bloempje *fuck off* zouden zien.'

'Nou, dat lijkt me wel erg sterk, ik kan me niet voorstellen dat er in York zulke gemene mensen zijn. Maar wat denkt u, zullen we het dan maar houden op *iuck oii*?'

'Nee. Ik zei u toch al: ik ben hier niet aangesteld om bloemen uit te rukken, ik moet er juist voor zorgen dat er niemand (hij kneep zijn ogen samen tot dreigende dunne spleetjes), ik zeg dus *níémand* met zijn fikken aankomt!'

'Maar ik zou het toch kunnen doen? Ik sta hier toch naast u, en u ziet duidelijk dat ik niks kwaads in de zin heb.'

'Als u het doet ben ik verplicht de politie te waarschuwen en dan wordt u gearresteerd wegens vandalistisch gedrag. Zoiets nemen wij hier in Engeland zeer hoog op. Het is hier de Sahara niet, waar mensen van uw slag alle bloemen hebben uitgerukt! Met alle gevolgen van dien, zoals iedereen weet.'

Typische *Sun*lezer, denkt Adam bij zichzelf. Hoge algemene ontwikkeling. Hij probeerde het op een andere manier, want hij herinnerde zich opeens wat de Filosoof hem had gezegd naar aanleiding van de babydolladvocaat. Je moet de Engelsman, en de westerling in het algemeen, niet vereenzelvigen met zijn beroep.

'U bent toch alleen parkwachter in functie tot sluitingstijd, nietwaar? Dan kunt u toch stiekem na acht uur hier terugkomen en gauw even die narcissen anders ordenen?'

'Wat zijn dat voor praatjes? Na achten ben ik nog steeds de wachter van dit park hier, of het nou middernacht is, of drie uur in de ochtend, dat maakt niet uit. Ik ben en blijf parkwachter. Je wou me toch niet vertellen hoe ik mijn werk moet doen?'

Het was duidelijk, de Filosoof had gelogen. Adam had nu al zijn kruit verschoten.

'Dus als ik het goed begrijp genieten planten een soort immuniteit in Engeland? Die mogen dus zomaar erop los schelden, lasteren, vloeken ...'

De parkwachter haalde zijn schouders op en liep terug naar zijn wachthuisje. Adam zag hoe hij zijn krant weer openvouwde, hem onderwijl af en toe een scheve blik toewerpend.

Dit incident (in Adams privékosmologie gerangschikt onder het rubriekje 'de hooliganbloemen') gaf hem flink wat stof tot nadenken. Als hij zelfs van de natuur naar de duivel kon lopen ... Misschien moest hij dan maar eens z'n biezen gaan pakken. Of hij nu verslonden werd door vleesetende planten of uitgescholden door een perkje bloemen, voor een ontdekkingsreiziger is dat toch wel het teken dat zijn missie ten einde loopt.

'*Fuck off*', had Yorkshire vanachter een bosje tegen hem gezegd.

Oké, hij snapte 'm. De volgende dag verliet hij de campus, na eerst al zijn diskettes aan zijn collega's te hebben overhandigd (als econometrist had hij ondanks alles toch wel een paar interessante resultaten weten te boeken – zijn Engelse avontuur was niet over de hele linie een fiasco) en vervolgens nam hij een trein die hem via de Kanaaltunnel weer terug naar Europa bracht.

Het kleine waterbestendige opschrijfboekje bewaart hij als een kostbaar kleinood, als bewijs dat het niet allemaal een droom is geweest. De haat die hij had gekoesterd jegens de rijkste vrouw van Yorkshire was binnen een nacht omgeslagen in medelijden: maar in beide gevallen had het definitief de deur dichtgedaan. Af en toe werd hem weleens gevraagd: 'Hoe zijn ze eigenlijk, die Engelsen?' en dan antwoordde Adam onveranderlijk: 'Het zijn heel beleefde mensen. Verder weet ik niks.'

In de ogen van de vragensteller leest Adam dan altijd dat men hem stilzwijgend een eretitel toekent die hij niet zozeer voor zichzelf opeist als wel meer aanvaardt als een soort van boetedoening: *de grootste etnologische nul die er op twee benen rondloopt.*

Fouad Laroui bij De Geus

Requiem voor de eerste generatie

Hoe gaan allochtone Nederlanders om met de dood, hun eigen dood, die van anderen, die van degenen die net zo zijn als zij en van degenen die niet net zo zijn als zij? De jaren gaan voorbij, de eerste generatie verdwijnt geleidelijk. Uit het Rifgebergte of Anatolië of van overzee gekomen om haar arbeidskracht te verkopen in de mijnen of de fabrieken in Nederland, begint die nu terug te stromen, als een golf die in schuim is uiteengespat, die alles gegeven heeft en alleen nog maar weg hoeft te wezen. Of zoals die Kollumer Kat bij Lewis Carroll, die geleidelijk verdwijnt, alleen zijn grijns blijft nog een poosje hangen terwijl de rest al weg is.

Ze verdwijnen. We hebben ze nauwelijks gekend. Het is nu tijd om een requiem te componeren voor die eerste generatie buitenlanders in Nederland.

Over het islamisme

Wat weten we van de islam? Wat weten we van de Koran?

Wie boeken als *Islam voor Dummies* leest, krijgt veel nuttige informatie. Maar kunnen we al die wetenswaardigheden ook plaatsen in de huidige opvattingen die zich bewegen tussen liberaal en uiterst extreem?

Fouad Laroui gidst de lezer door de wereld van de islam. Hij doet dat door een persoonlijke visie te combineren met de feiten. Zijn onderscheid tussen geloof (ik) en religie (wij) is het uitgangspunt voor een reis langs diverse gezichtspunten die hij smeuïg maar ondubbelzinnig uit de doeken doet. Verhelderend, boeiend en vlijmscherp ontmaskert Laroui taboes en clichés en legt hij zin en onzin bloot. Zonder de confrontatie te schuwen.